21世纪

小学生

十万个为什么

·可爱的动物·有趣的植物·神秘的人体·

赵天宇 苏婕 编文
石永歌 陈琳 绘画

广州出版社

前言

据有关部门提供的数据表明，在我国有将近1亿5000万以上的小学在校学生。这些7~12岁的孩子正处于身体发育和智力发育的关键时期，是中华民族的未来和希望，是祖国明天的栋梁之材。小学阶段又是求知欲最旺盛的年龄段，他们不仅希望从课堂上学习国家规定的课程，完成必须接受的义务教育；而且在大量的课余时间、假期里，更会主动地学习各方面自己感兴趣的知识。特别是有关自然科学和人文科学方面的一些有趣的问题，往往更能引起他们的学习兴趣，激发他们的探索热情。

为了满足小学生的求知欲和好奇心，向他们普及基本的科学知识，提高他们的素质。我们组织了一批科普作家和画家，用图文并茂的艺术形式，编

绘了这一套《21世纪小学生十万个为什么》丛书。书中分别介绍了动物世界、植物园地、人体奥秘、武器天地、天象奇观……等共12个方面的内容。这些内容既可以满足小学生的求知欲望，又照顾了他们的年龄特点和知识水平，通过简洁明了的文字和丰富多彩的图画，把一些科学知识描绘得通俗易懂，充满情趣，融科学性、知识性、趣味性于一体，是小学生比较理想的课外读物。

本书在编写过程中曾听取了不少专家和高级教师的意见，得到了他们的指导，并在此基础上增删了一些内容。在此套丛书出版之际，特向他们表示深深的谢意!

编者

2001年12月

目录

SHIWANGE

WEISHENME

· SHIWANGEWEISHENME

动物世界

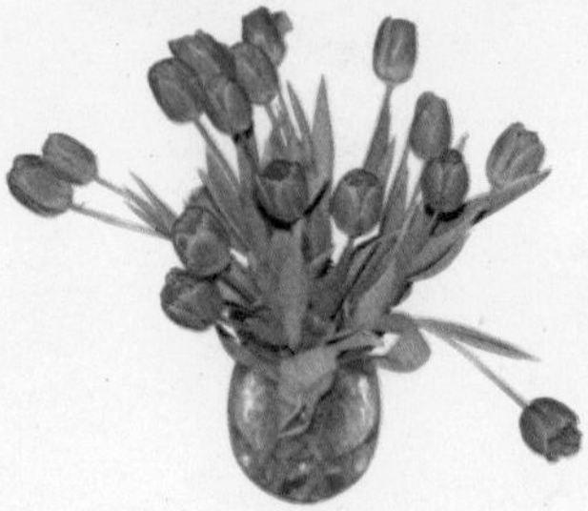

植物园地

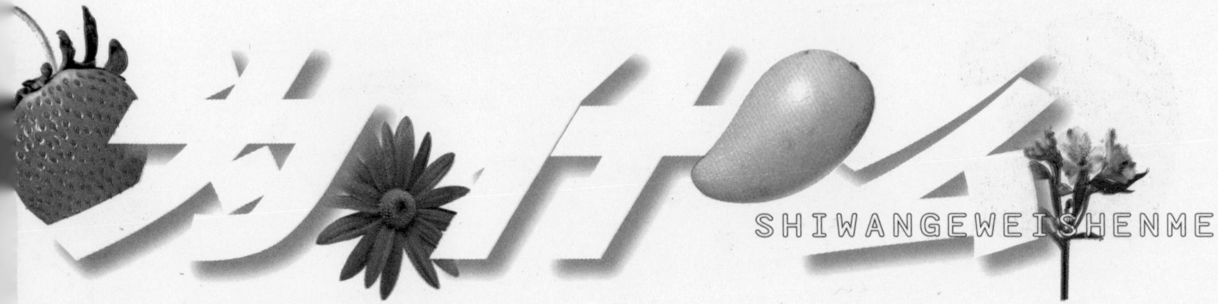
为什么
SHIWANGEWEISHENME

人体奥秘

为什么
SHIWANGEWEISHENME

动物也有思维吗？

shì jiè shang yǒu jǐ bǎi wàn zhǒng dòng wù kē xué jiā fā xiàn yǒu xiē
世界上有几百万种动物。科学家发现，有些
dòng wù jù yǒu yí dìng de sī wéi néng lì yě shēng hēi xīng xing xǐ huan
动物具有一定的思维能力。野生黑猩猩喜欢
chī mǎ yǐ tā wèi le chī dào yǐ xué zhōng de mǎ yǐ jiù zhǎo gēn cháng
吃蚂蚁。它为了吃到蚁穴中的蚂蚁，就找根长
duǎn cū xì shì dàng de shù zhī
短粗细适当的树枝，
yòng shé tou tiǎn shang jǐ xià
用舌头舔上几下，
shǐ shù zhī shī rùn rán hòu
使树枝湿润，然后
shēn jìn yǐ xué zhōng jiāng
伸进蚁穴中，将
mǎ yǐ zhān chū lái chī
蚂蚁粘出来吃
diào zhuān jiā men
掉。专家们

hái fā xiàn dòng wù yǒu shù xué fāng miàn de sī wéi néng lì rú niǎo
还发现，动物有数学方面的思维能力，如鸟、
dà xiàng hóu zhū dà bái shǔ xīng xing dōu yǒu xíng chéng zhěng shù gài
大象、猴、猪、大白鼠、猩猩都有形成整数概
niàn de néng lì kē xué jiā hái fā xiàn héng hé hóu jù yǒu biàn bié shù mù
念的能力。科学家还发现恒河猴具有辨别数目
duō shǎo de néng lì
多少的能力。

想想真有趣

nián měi guó kē xué jiā shè jì chū yì zhǒng tè shū yǔ yán yòng lái xùn liàn
1970年，美国科学家设计出一种特殊语言，用来训练
yì zhī míng jiào lián nà de hēi xīng xing bù jiǔ lián nà jiù huì qiāo jī diàn nǎo jiàn pán shang
一只名叫莲娜的黑猩猩，不久，莲娜就会敲击电脑健盘上
de fú hào qǔ shí hái huì xuǎn chū quán xīn de jù zi bìng tōng guò píng mù guān chá hé xiū
的符号取食。还会选出全新的句子，并通过屏幕观察和修
gǎi jù zi tóng kē xué jiā jiāo liú sī xiǎng
改句子，同科学家交流“思想”。

动动小脑筋

wèn wèi shén me shuō hú li hěn jiǎo huá
问：为什么说狐狸很狡猾？

dá dāng hú li bèi rén men zhuā zhù hòu tā jiù huì zàn shí tíng zhù hū xī shēn
答：当狐狸被人们抓住后，它就会暂时停住呼吸，身
tǐ tān ruǎn xiàng sǐ le yí yàng yòng zhuāng sǐ de bàn fǎ lái piàn rén rú guǒ rén shāo yí
体瘫软，像死了一样，用装死的办法来骗人。如果人稍一
dà yì tā jiù huì tū rán yǎo rén yì kǒu chéng jī táo zhī yāo yāo hú li hái huì xué
大意，它就会突然咬人一口，乘机逃之夭夭。狐狸还会学
yáng jiào shǐ xiǎo yáng wén shēng ér lái zài bǎ tā chī diào
羊叫，使小羊闻声而来，再把它吃掉。

动物的皮毛为什么会五颜六色？

按照棕色素发达的程度，皮毛可生成黄色、棕色、棕黄色、黑色。有黑色素存在时，就可能使皮毛成为黑色或灰色；棕色素与黑色素同时存在时，按各自的发达程度而产生棕色或土黄色；棕、黑两种色素都不存在时，毛皮就成为白色的了。总之，动物皮毛的颜色既受体

内遗传因素的控制，也受大自然，如阳光、温度变化引起内分泌激素调节的影响，这样就使皮毛呈现五颜六色。

说说哪个对

斑马身上的条纹是一样的！

不对，它们身上的条纹是有区别的。

正确答案：斑马身上穿的“海魂衫”粗看起来都差不多，但它们的条纹却是千差万别的。世界上找不出身上条纹完全相同的两匹斑马来。这样，在成群的斑马中，它们就可以凭借条纹的不同，辨认出各自的“身份”了。

想想真有趣

斑马身上的条纹黑白相间，十分明显，易于发现。所以人们就利用这一特点，在马路上画上人行横道线，俗称“斑马线”。有了斑马线，不管是车辆和行人都会特别注意，对保障交通安全产生了很好的作用。

为什么猫的眼睛会一日三变？

因为猫眼的瞳孔很大，瞳孔“括约肌”的收缩能力极强，在不同的光线下，括约肌能很好地对瞳孔进行调节，使瞳孔与光线相适应。早晨阳光强度一般，瞳孔就成了枣核状；中午阳光

qiáng liè tóng kǒng biàn suō chéng yì tiáo xiàn wǎn shang guāng xiàn hūn àn tóng
强烈，瞳孔便缩成一条线；晚上光线昏暗，瞳
kǒng biàn xiàng shí wǔ de yuè liang yí yàng yuán le
孔便像十五的月亮一样圆了。

动动小脑筋

wèn wèi shén me māo zài hēi àn zhōng yě néng zhuā zhù lǎo shǔ
问：为什么猫在黑暗中也能抓住老鼠？

dá zài hēi àn de yè wǎn māo de tóng kǒng biàn de yòu dà yòu yuán shì lì tè
答：在黑暗的夜晚，猫的瞳孔变得又大又圆，视力特
bié hǎo nǎ pà yǒu yì sī wēi ruò de guāng xiàn tā yě néng kàn de hěn qīng chu suǒ yǐ
别好，哪怕有一丝微弱的光线，它也能看得很清楚。所以
lǎo shǔ zhǐ yào dòng yí xià tā jiù kàn de qīng qīng chǔ chǔ lǎo shǔ méi yǒu zhè ge běn lǐng
老鼠只要动一下，它就看得清清楚楚。老鼠没有这个本领，
xiǎng duǒ guò māo de zhuǎ zi shì hěn nán de
想躲过猫的爪子是很难的。

想想真有趣

bō sī māo shì rén men xǐ ài de chǒng wù tā zhǎng zhe xuě bái de cháng máo péng sōng
波斯猫是人们喜爱的宠物，它长着雪白的长毛，蓬松
de wěi ba bú guò bō sī māo zuì tè bié de dì fang shì tā nà liǎng zhī dà yǎn jing yì
的尾巴。不过波斯猫最特别的地方是它那两只大眼睛，一
zhī shì lán sè de yì zhī shì huáng sè de shí fēn yǒu qù kě shì yí dào yè wǎn
只是蓝色的，一只是黄色的，十分有趣。可是一到夜晚，
bō sī māo de liǎng zhī yǎn jing jiù dōu biàn chéng hóng sè de le zhè shì tā hé bié de māo zuì
波斯猫的两只眼睛就都变成红色的了。这是它和别的猫最
dà de bù tóng
大的不同。

为什么狗急能跳墙而过？

yīn wei gǒu zài bèi zhuī de fā huāng de shí hou suǒ yǒu shén jīng dōu chù
因为狗在被追得发慌的时候，所有神经都处
yú jí dù xīng fèn zhuàng tài tǐ nèi de xiàn sān lín zài méi de zuò
于极度兴奋状态，体内的腺三磷在“酶”的作
yòng xià néng jí qí xùn sù de shì fàng chū jí dà de néng liàng shǐ jī
用下，能极其迅速地释放出极大的能量，使肌
ròu yí chà nà jiān suō duǎn dào
肉一刹那间缩短到

原来的三分之一乃至四分之一，运动中猛烈地拉动骨骼关节，从而使它跳墙而过。类似“狗急跳墙”的现象，其它一些动物也有。

说说哪个对

狗特别聪明，所以它会做算术。

不对，狗不会做算术！

正确答案：狗做算术并不是因为它特别聪明，而是驯兽师长期驯练的结果。驯兽师在狗做对一次算术后，就给它肉吃。时间长了，狗就形成了条件反射，好像真的会做算术一样的聪明。

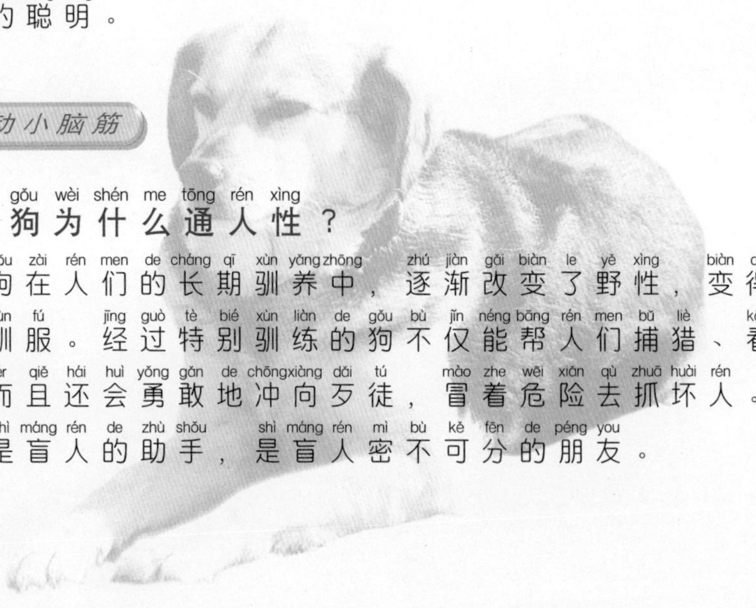

动动小脑筋

问：狗为什么通人性？

答：狗在人们的长期驯养中，逐渐改变了野性，变得对人特别驯服。经过特别驯练的狗不仅能帮人们捕猎、看家护院，而且还会勇敢地冲向歹徒，冒着危险去抓坏人。导盲犬还是盲人的助手，是盲人密不可分的朋友。

为什么要给马打掌？

mǎ tí de qián bàn bù de cè miàn hòu ér jiān yìng, bìng yǔ tí gǔ jǐn
马蹄的前半部的侧面厚而坚硬，并与蹄骨紧
mì jié hé, shì mǎ xíng zǒu de zhǔ tǐ; tí de hòu bàn miàn, jiǎo zhì
密结合，是马行走的主体；蹄的后半面，角质
ruǎn ér yǒu tán xìng, xíng zǒu shí kě huǎn hé lái zì dì miàn de chōng jī
软而有弹性，行走时可缓和来自地面的冲击
lì. yóu yú mǎ tí shì jiān yìng de jiǎo
力。由于马蹄是坚硬的角
zhì wù zhì, zài jiān yìng de dì miàn
质物质，在坚硬的地面
xíng zǒu, mó de jiǔ le jiù huì sǔn
行走，磨得久了就会损
huài ér chū xiàn āo tū bù
坏而出现凹凸不

平的现象，影响马的行走和负重，因此必须给马打掌以保护其蹄不受损害。

说说哪个对

马的祖先有三个脚趾。

不对，马不是只有一个蹄子吗？

正确答案：马的祖先个头儿很小，比猫稍大些。当时，它的四个脚上都长着三个趾。后来，马的体型越来越大，每只脚的另两个趾退化掉了，就变成了一个蹄子，这样，它奔跑起来就更快、更有力了。

想想真有趣

在古代的大草原上，猛兽常常袭击既没有尖角利齿又温驯善良的马。遇到危险，马只有快速躲避这一个办法。为了随时准备逃避敌害，马就养成了站着睡觉的习惯，直到今天，马还是改不了这种睡觉的方式。

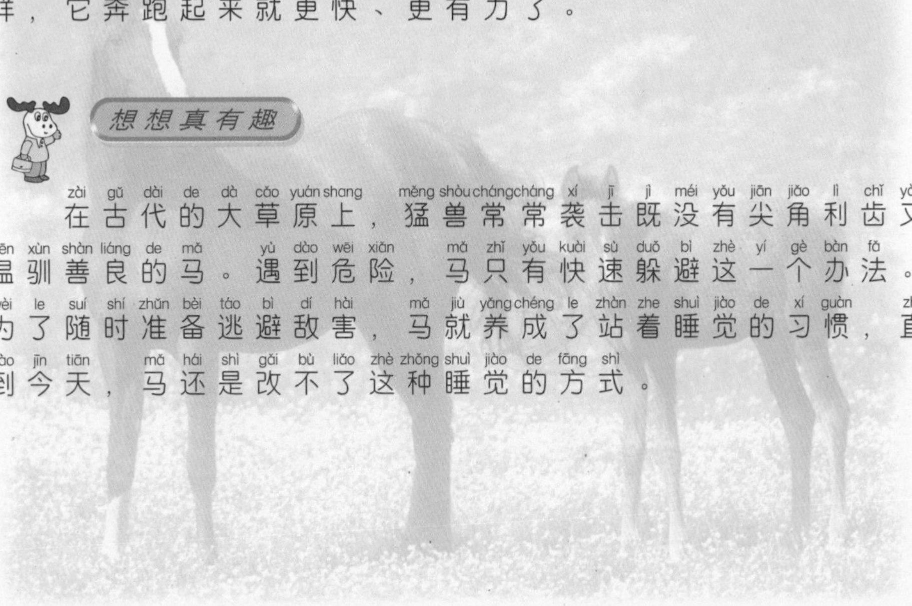

驴为什么喜欢在地上打滚？

驴身上有寄生虫，常常使它身上痒得很难受。它休息时，在地上打打滚，身上粘满了土，然后再抖掉，这样一来可以

qù diào shēnshang pí máo li de jì shēngchóng jīng guò yì tiān de láo lèi
去掉身上皮毛里的寄生虫；经过一天的劳累，
zài dì shang dǎ dǎ gǔn kě shū jīn huó xuè jiě fá shì huī fù tǐ
在地上打打滚可舒筋、活血、解乏，是恢复体
lì de hǎo fāng fǎ
力的好方法。

动动小脑筋

wèn luó wèi shén me bú huì shēng hái zi
问：骡为什么不会生孩子？

dá luó de bà ba shì lǘ mā ma shì mǎ tā shì yóu zhè liǎng zhǒng bù tóng de
答：骡的爸爸是驴，妈妈是马，它是由这两种不同的
dòng wù zá jiāo de jié guǒ suǒ yǐ luó yì bān shì bú huì shēng hái zi de luó jì chéng le
动物杂交的结果，所以骡一般是不会生孩子的。骡继承了
lǘ hé mǎ de yōu diǎn shēn tǐ tè bié zhuàng shí yǒu lì shì nóng mín de hǎo bāng shǒu bú
驴和马的优点，身体特别壮实有力，是农民的好帮手。不
guò yě yǒu luó shēng hái zi de xī hǎn shì er fā shēng dàn hěn nán jiàn dào
过也有骡生孩子的稀罕事儿发生，但很难见到。

想想真有趣

lǘ bǐ qǐ mǎ hé niú děng dòng wù lái tǐ xíng yào xiǎo lì qì yě yào xiǎo suǒ
驴比起马和牛等动物来，体型要小，力气也要小，所
yǐ tā duì fù měng shòu de néng lì jiù gèng chà bú guò bú yào jǐn lǘ jīng guò cháng qī jìn
以它对付猛兽的能力就更差。不过不要紧，驴经过长期进
huà zhú jiàn liàn chū le yí fù dà sǎng mén er yù shàng dí hài shí tā tū rán gāo shēng
化，逐渐练出了一副大嗓门儿。遇上敌害时，它突然高声
dà jiào wǎng wǎng néng zài dí hài zàn shí de yóu yù zhōng táo diào
大叫，往往能在敌害暂时的犹豫中逃掉。

骆驼为什么被称为“沙漠之舟”？

骆驼有双重眼睫毛，可挡风沙；鼻孔内有瓣膜，风沙来时可关闭。身上有又密又长的毛，可御寒冷。腿很长，脚掌宽且有厚厚的角质垫，善于在灼热的沙漠里行走。有两个驼峰，里面贮藏着大量脂肪；肚子里有

许多囊袋，能贮存大量的水；它体大力大，可驮大量重物。所以人们称之为“沙漠之舟”。

说说哪个对

骆驼不会出汗！

骆驼在气温高时才出汗。

正确答案：骆驼的血液很特别，里边含有蓄水能力特别强的高浓缩蛋白质，可以防止血液中的水分经汗腺分泌而丧失。它在气温高达40.5℃时才出汗，由于它的体型较大，调节体温的范围也大，所以在正常气温下，很少看见骆驼出汗。

想想真有趣

骆驼在地球上分布得比较广，背上长着两个驼峰的叫“双峰驼”，主要分布在我国西北及中亚等地区；背上长着一个驼峰的叫“单峰驼”，主要生活在西亚及非洲。单峰驼比双峰驼体型要小，但奔跑起来速度可不慢。

长颈鹿为什么不会脑溢血？

cháng jǐng lù shēn gāo mǐ yǐ shàng tóu bù jù lí xīn zàng mǐ wèi
长颈鹿身高5米以上，头部距离心脏3米，为
le shǐ tóu bù dà nǎo dé dào chōng fèn de xuè yè qí tǐ nèi xuè yā gāo
了使头部大脑得到充分的血液，其体内血压高
dá qiān pà háo mǐ
达46.55千帕（350毫米
gǒng zhù gāo chū rén bèi
汞柱），高出人2倍。
rán ér cháng jǐng lù què bú huì
然而长颈鹿却不会
fā shēng nǎo yì xuè yuán lái
发生脑溢血。原来，
jǐn bēng zài cháng jǐng lù shēnshang
紧绷在长颈鹿身上
de nà céng sè cǎi
的那层色彩
bān lán de
斑斓的
pí fū chú
皮肤除
le yǒu yǐn
了有隐
bì zì jǐ de
蔽自己的

功能外，还能起调节血压的作用：当长颈鹿低头喝水时，紧紧绷在它身上的皮肤就会牢牢箍住血管，不让血压突然升高而发生脑溢血。

动动小脑筋

问：为什么长颈鹿的脖子特别长？

答：长颈鹿的身体和马差不多，但它的高度竟然可达6米，这主要是因为它的脖子和腿特别长。长颈鹿的脖子有七节椎骨，由于它爱吃离地五、六米高的金合欢树等的嫩枝和叶子，脖子便越伸越长，成了这副怪模样。

说说哪个对

长颈鹿不喝水！

不对，长颈鹿也爱喝水。

正确答案：长颈鹿以树的嫩枝叶为食物，一般不用喝水。因为它喝起水来特别费劲。当它喝水时，必须把两条又细又长的前腿叉开，或者跪在水边，伸出长脖子才能够到水，十分费劲！

大象用鼻子吸水为什么不会呛着？

大象有一个可垂在地上的长鼻子。这个鼻子可以嗅、吸、喷、卷、打，几乎无所不能。象的气管虽然与食道相通，但鼻腔后面的食道上方生有一块软骨，当大象用鼻子吸水进入鼻腔时，软骨就将气管口

gài qǐ lái shuǐ bú huì jìn rù fèi suǒ yǐ bú huì qiāng zhe dāng xiàng
盖起来，水不会进入肺，所以不会呛着。当象
yòng bí zi pēn chū shuǐ shí ruǎn gǔ zì dòng dǎ kāi hū xī yòu néng
用鼻子喷出水时，软骨自动打开，呼吸又能
zhào cháng jìn xíng
照常进行。

想想真有趣

yǒu rén shuō dà xiàng suī rán lì qì dà dàn tā zuì pà xiǎo lǎo shǔ zuān tā de bí kǒng
有人说大象虽然力气大，但它最怕小老鼠钻它的鼻孔。
qí shí zài xiàn shí shēng huó zhōng dà xiàng shì bú huì pà xiǎo lǎo shǔ de jiù suàn xiǎo lǎo
其实，在现实生活中，大象是不会怕小老鼠的。就算小老
shǔ néng zuān jìn dà xiàng de bí kǒng zhǐ yào dà xiàng de bí zi li yì yǎng yǎng mǎ shàng huì
鼠能钻进大象的鼻孔，只要大象的鼻子里一痒痒，马上会
ā tì dǎ gè dà pēn tì hái bú bǎ xiǎo lǎo shǔ pēn chū lǎo yuǎn ma
"啊——嚏"，打个大喷嚏，还不把小老鼠喷出老远吗？

动动小脑筋

wèn dà xiàng de bí zi dōu yǒu shén me yòng chù
问：大象的鼻子都有什么用处？

dá dà xiàng de bí zi fēi cháng líng mǐn kě yǐ wén dào jǐ bǎi mǐ wài dí rén de
答：大象的鼻子非常灵敏，可以闻到几百米外敌人的
qì wèi bìng jí zǎo zuò hǎo fáng yù de zhǔn bèi dà xiàng zài chī dōng xi hē shuǐ shí huì kào
气味并及早做好防御的准备。大象在吃东西、喝水时会靠
bí zi lái bāng máng ér qiě tā hái néng yòng bí zi xī shuǐ zài sǎ dào shēn shang chōng zǎo
鼻子来帮忙，而且它还能用鼻子吸水，再洒到身上冲澡。
jīng guò xùn liàn de dà xiàng hái néng yòng bí zi zuò bān yùn mù tou yùn sòng huò wù děng gōng
经过训练的大象还能用鼻子做搬运木头、运送货物等工
zuò
作。

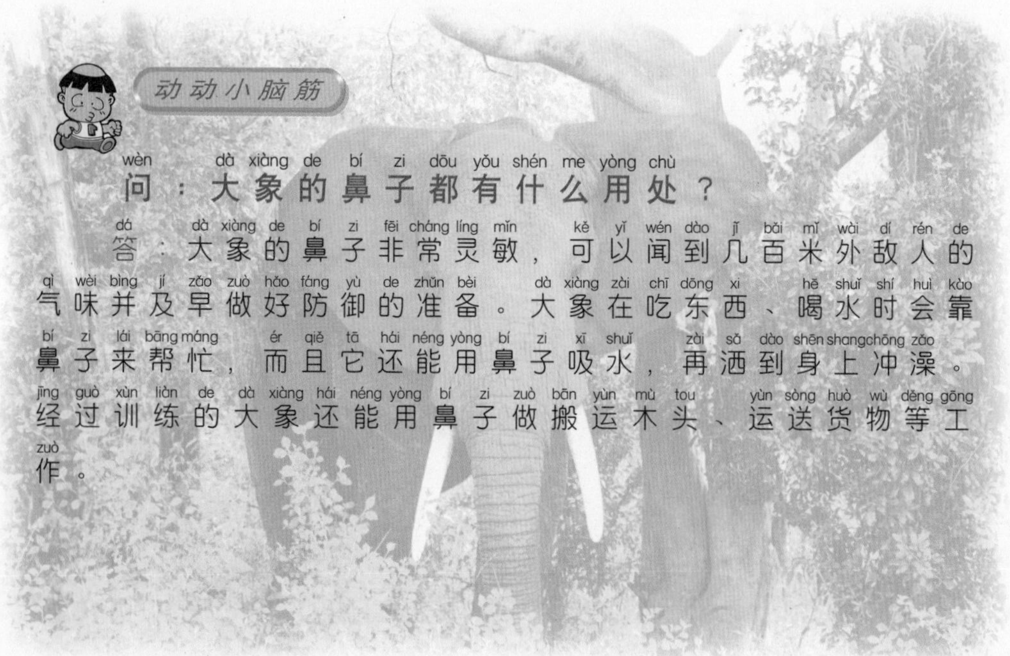

蟑螂为什么能知道地震即将发生？

因为蟑螂的尾部有一对尾须。尾须上面长着2000根丝状小毛。地震前总会有一些轻微的震动，这些轻微震动人感觉不出来，而蟑螂尾巴上的丝状小毛，在地震前4个小时就能感觉到。因此蟑螂能知道地震即将发生，及早逃生。

说说哪个对

zhāng láng shì huì chuán rǎn jí bìng de hài chóng
蟑螂是会传染疾病的害虫！

zhāng láng bú huì chuán rǎn jí bìng
蟑螂不会传染疾病。

zhèng què dá àn zhāng láng què shí shì huì chuán rǎn jí bìng de hài chóng yóu yú tā cháng zhe tè bié biǎn de shēn tǐ suǒ yǐ mén fèng guì mén biān de xiǎo fèng xì tā dōu kě yǐ zuān jìn qù tā tè bié xǐ huan zài yīn àn cháo shī āng zāng de dì fang huó dòng shēn shang zhān mǎn le xì jūn rú guǒ zài pá dào shí wù shang jiù huì bǎ xì jūn dài dào shí wù shang rén chī le bù jié de shí wù jiù huì dé bìng

正确答案：蟑螂确实是会传染疾病的害虫，由于它长着特别扁的身体，所以门缝、柜门边的小缝隙它都可以钻进去。它特别喜欢在阴暗、潮湿、肮脏的地方活动，身上粘满了细菌，如果再爬到食物上，就会把细菌带到食物上，人吃了不洁的食物就会得病。

想想真有趣

bù jǐn zhāng láng huì yù bào dì zhèn shé lǎo shǔ mǎ gǒu děng bù shǎo dòng wù zài dì zhèn jí jiāng fā shēng shí yě dōu néng shì xiān gǎn jué dào zāi nán jí jiāng lái lín zhè shí tā men wǎng wǎng huì dào chù luàn pǎo luàn cuàn kuáng zào bù ān rén men yù dào zhè zhǒng qíng kuàng jiù yīng dāng yǐn qǐ jǐng tì le

不仅蟑螂会“预报地震”，蛇、老鼠、马、狗……等不少动物在地震即将发生时，也都能事先感觉到灾难即将来临。这时，它们往往会到处乱跑乱窜，狂躁不安。人们遇到这种情况，就应当引起警惕了。

蛇为什么能吞食比头部大的动物？

蛇的下颌由两块彼此分开的骨头组成，由韧带连结，可自由下垂，并能同时或交替向左右扩展，嘴能张成130度；咬住东西时，上颌骨、腭骨、翼骨、下颌骨都能左右交替将食物向后拉；蛇无胸骨和胸腔，

我一星期前吃的蛋到现在还没消化。
赶快服用“斯达舒”胶囊。

wèi cháng jī ròu kuò zhāng lì jí qiáng tūn shí qián zǒng shì jiāng shí wù pīn
胃肠肌肉扩张力极强；吞食前总是将食物拼
mìng de chán rào chéng cháng tiáo zhuàng tūn yàn shí fēn mì chū dà liàng tuò yè
命地缠绕成长条状，吞咽时分泌出大量唾液
rùn huá shí wù suǒ yǐ tā néng tūn shí bǐ tā tóu bù dà de dòng wù
润滑食物。所以它能吞食比它头部大的动物。

动动小脑筋

wèn shé wèi shén me ài shēn shé tou
问：蛇为什么爱伸舌头？

dá shé zǒng ài shēn chū yì tiáo fēn chà de hóng shé tou kàn shàng qù guài xià rén de
答：蛇总爱伸出一条分叉的红舌头，看上去怪吓人的。
qí shí shé de shé tou xiàng rén de bí zi yí yàng tā shì yòng lái wén wài mian de qì wèi
其实，蛇的舌头像人的鼻子一样，它是用来闻外面的气味
yòng de shé bǎ shé tou yì shēn yì suō jiù huì jué chá dào fù jìn yǒu méi yǒu qīng wā
用的。蛇把舌头一伸一缩，就会觉察到附近有没有青蛙、
lǎo shǔ děng tā xǐ huan chī de liè wù rán hòu zài jué dìng zěn yàng qù zhuō dào tā men
老鼠等它喜欢吃的猎物，然后再决定怎样去捉到它们。

说说哪个对

shé dà bù fen dōu yǒu dú yào xiǎo xīn
蛇大部分都有毒，要小心！

bú duì dà bù fen dōu shì wú dú shé
不对，大部分都是无毒蛇。

zhèng què dá àn jù dòng wù xué jiā yán jiū fā xiàn dì qiú shang dà yuē yǒu
正确答案：据动物学家研究发现，地球上大约有2500
duō zhǒng shé lèi dàn qí zhōng yǒu dú shé zhǐ yǒu zhǒng zuǒ yòu zhǐ zhàn quán bù shé lèi de
多种蛇类，但其中有毒蛇只有650种左右，只占全部蛇类的
sì fēn zhī yī dú shé de xiǎn zhù tè diǎn shì tóu chéng sān jiǎo xíng wú dú shé de tóu dà
四分之一。毒蛇的显著特点是头呈三角形，无毒蛇的头大
duō shì biǎn yuán xíng de
多是扁圆形的。

蜘蛛为什么不属于昆虫类？

yīn wei kūn chóng de shēn tǐ fēn jié xíng chéng tóu xiōng fù sān bù
因为昆虫的身体分节，形成头、胸、腹三部
fen tóu shang yǒu yí duì chù jiǎo hé fù yǎn xiōng bù yǒu yí duì huò liǎng
分，头上有一对触角和复眼，胸部有一对或两
duì chì bǎng ér
对翅膀；而
zhī zhū de shēn
蜘蛛的身
tǐ zhǐ fēn wéi
体只分为
liǎng bù fen
两部分，
jí tóu xiōng
即头、胸

合为一个部分，另一部分是腹部，没有触角和翅膀，有四对足，所以不把它归于昆虫类。

想想真有趣

昆虫看上去只有一对大眼睛，像蜻蜓、蚂蚁、螳螂等。但它们的眼睛却是由成千上万只小眼睛组成的复眼。大多数蜘蛛有8只眼睛，看上去比昆虫的眼睛多，但它的眼睛是单眼，比起昆虫来就少得可怜了。

动动小脑筋

问：蜘蛛是怎样修补破了的蜘蛛网的？

答：蜘蛛网是它捕捉食物的主要工具，当蜘蛛网破了后，就很难捕捉到食物了。这时，蜘蛛就会把破网再吃进肚子里，消化掉，重新变成织网的液体。然后通过肚子后面的三对纺器吐出丝液，织成一张新网。

世界上脚最多的动物是什么？

shì jiè shang jiǎo zuì duō de dòng wù shì qiān zú chóng yòu chēng mǎ lù
世界上脚最多的动物是千足虫，又称马陆，
zhè shì yì zhǒng lù shēng jié zhī dòng wù qiān zú chóng chéng yuán tǒng xíng huò
这是一种陆生节肢动物。千足虫呈圆筒形或
cháng biǎn xíng fēn chéng tóu hé qū gàn liǎng bù fen tóu shang yǒu yí duì
长扁形，分成头和躯干两部分。头上有一对
cū duǎn de chù jiǎo qū gàn yóu xǔ duō jié tǐ
粗短的触角，躯干由许多节体
gòu chéng dì yī jié wú zú dì èr zhì
构成。第一节无足，第二至

四节，每节一对足，其余每节均有两对足。北美巴拿马山谷里有一种大马陆，全身有175节，共690只足，可能是世界上足最多的动物了。

说说哪个对

瓢虫都是人类的朋友，是益虫！

不对，有的瓢虫是害虫！

正确答案：在自然界里，大部分瓢虫是人类的朋友，是消灭害虫的能手。比如我们常见的七星瓢虫就是专门消灭蚜虫的专家，一天能吃掉100多只蚜虫。但十一星瓢虫却是害虫，它是破坏庄稼和果树的大坏蛋。

想想真有趣

地球上的瓢虫大约有4000多种，怎样区分它们是益虫还是害虫呢？原来，一般益虫外表的硬翅膀都比较光滑细腻，看起来也很光亮；害虫的翅膀表面长着密密麻麻的绒毛，看起来比较粗糙。

鸟类为什么没有牙齿？

zài niǎo de shí dào zhōng yǒu yí gè péngzhàng jiào dà de bù fen sù
在鸟的食道中，有一个膨胀较大的部分——嗉
náng niǎo zhuó shí de shí wù jiù zàn cún zài zhè
囊，鸟啄食的食物就暂存在这
lǐ niǎo lèi de wèi fēn wéi qián hòu liǎng bàn bù
里；鸟类的胃分为前、后两半部
fen qián bàn bù fen jiào qián wèi hòu bàn bù
分，前半部分叫前胃，后半部
fen jiào shā náng shā
分叫砂囊。砂
náng li yǒu xǔ
囊里有许
duō shā zi shí
多砂子，食
wù jìn rù shā
物进入砂
náng hòu shā
囊后，砂
náng li de shā
囊里的砂
zi jiù jiāng shí
子就将食
wù mó suì
物磨碎，

rán hòu fǎn huí qián wèi jìn xíng xiāo huà yě jiù shì shuō niǎo lèi de shā
然后返回前胃进行消化。也就是说，鸟类的砂
náng dài tì le yá chǐ de gōng néng suǒ yǐ jiù méi yǒu zài zhǎng yá chǐ
囊代替了牙齿的功能，所以就没有再长牙齿
de bì yào le
的必要了。

动动小脑筋

wèn jī wèi shén me ài chī shā lì
问：鸡为什么爱吃砂粒？

dá jī měi tiān dōu zài bù tíng de zhuó dì miàn de dōng xi yǒu xiē shì shí wù
答：鸡每天都在不停地啄地面的东西，有些是食物，
yǒu xiē què shì shā lì huò xiǎo shí zi er yuán lái jī bǎ zhè xiē yìng dōng xi chī jìn wèi
有些却是砂粒或小石子儿。原来，鸡把这些硬东西吃进胃
shì bāng zhù xiāo huà shí wù de shā lì hé shí wù zài wèi li yì qǐ fǎn fù mó jǐ cái
是帮助消化食物的。砂粒和食物在胃里一起反复磨挤，才
néng bǎ shí wù nòng suì biàn yú xī shōu
能把食物弄碎，便于吸收。

说说哪个对

māo tóu yīng chī lǎo shǔ bù tǔ gǔ tou
猫头鹰吃老鼠不吐骨头？

bú duì tā huì bǎ gǔ tou tǔ chū lái
不对，它会把骨头吐出来。

zhèng què dá àn māo tóu yīng shì xiāo miè lǎo shǔ de néng shǒu yì zhī māo tóu yīng yì
正确答案：猫头鹰是消灭老鼠的能手，一只猫头鹰一
tiān néng xiāo miè shí jǐ zhī lǎo shǔ māo tóu yīng yě méi yǒu yá chǐ dāng tā tūn xià lǎo shǔ
天能消灭十几只老鼠。猫头鹰也没有牙齿，当它吞下老鼠
hòu xiān bǎ pí ròu nèi zàng xiāo huà diào dì èr tiān zài bǎ xiāo huà bú diào de
后，先把皮、肉、内脏消化掉，第二天，再把消化不掉的
gǔ tou hé máo tǔ chū lái qiáo māo tóu yīng duō cōng míng
骨头和毛吐出来。瞧，猫头鹰多聪明！

什么鸟飞得最高？

不同的鸟飞的高度不一样。啄木鸟飞的高度一般不超过大树的高度；麻雀一般不超过 10 米；老鹰可在100米高空翱翔盘旋；候鸟大多飞翔在 500 米左右的高空；而飞得最高的鸟，恐怕要算大型水禽疣鼻天鹅和

斑头雁了。它们能飞越世界屋脊喜玛拉雅山的珠穆朗玛峰，高达9000米。

想想真有趣

疣鼻天鹅是因为它的鼻子上长着一个肉疙瘩而得名，每年夏季，它们飞到我国新疆中部和北部的一些地区去繁殖后代。到了秋末，它们又带着子女到温暖的印度西北部去过冬。它们每年都要飞越喜玛拉雅山，真不容易！

动动小脑筋

问：为什么有些鸟儿不会飞？

答：为了适应环境的变化，有些鸟儿渐渐失去了飞行的能力，翅膀也不再作为飞翔的工具了。例如鸵鸟和鸸鹋就是不会飞的鸟。但它们两条腿非常有力，在沙漠上奔跑起来甚至比马还快哩！

什么鸭在树上做巢？

yě yā dà duō zài jù hé liú hú bó jiào jìn de guàn mù zá cǎo
野鸭大多在距河流、湖泊较近的灌木、杂草
cóng děng chù zuò cháo dàn yǒu yì zhǒng míng wéi
丛等处做巢。但有一种名为
zhōng huá qiū shā yā de què zài tiān rán
中华秋沙鸭的却在天然
shù dòng li zuò cháo shù dòng
树洞里做巢，树洞
hái bì xū jù dì miàn
还必须距地面
yí dìng de gāo dù
一定的高度。
xióng yā yǒu jǐ gè
雄鸭有几个
wěi dòng zhǐ yǒu cí
伪洞，只有雌
yā jìn chū de dòng cái
鸭进出的洞才
shì zhēn zhèng de cháo
是真正的巢
dòng zhōng huá qiū shā
洞。中华秋沙
yā de tóu shang zhǎng zhe
鸭的头上长着

liǎng tiáo yǔ máo guān xióng yā de tóu hé shàng bèi wéi hēi sè xià bèi hé
两条羽毛冠。雄鸭的头和上背为黑色，下背和
yāo shì bái sè cí yā de tóu wéi zōng hè sè shàng tǐ lán hè sè
腰是白色；雌鸭的头为棕褐色，上体蓝褐色。

说说哪个对

yā zi néng fú zài shuǐ miàn shì yīn wei tā de shēn tǐ hěn qīng
鸭子能浮在水面，是因为它的身体很轻？

bù yí dìng ba
不一定吧？

zhèng què dá àn yā zi néng fú zài shuǐ miàn zhǔ yào shì yīn wei tā de yǔ máo hěn
正确答案：鸭子能浮在水面，主要是因为它的羽毛很
péng sōng xiàng yí gè dà de mián huā tuán tóng shí tā de yǔ máo shang tú zhe yóu zhī
蓬松，像一个大的棉花团。同时，它的羽毛上涂着油脂，
shuǐ jì zhān bú shàng qù yě tòu bú jìn qù zhè yàng jiù shì tǐ zhòng jiào dà de yā zi yě
水既沾不上去也透不进去，这样，就是体重较大的鸭子也
néng hěn fāng biàn de fú zài shuǐ miàn shang le
能很方便地浮在水面上了。

想想真有趣

rú guǒ nǐ zài shuǐ táng biān guān chá huì fā xiàn yā zi cháng cháng bǎ tóu zāi rù shuǐ
如果你在水塘边观察，会发现鸭子常常把头栽入水
zhōng shēn tǐ jǐ hū chuí zhí yú shuǐ miàn zhǐ lòu chū yì jié wěi ba yuán lái zhè shì
中，身体几乎垂直于水面，只露出一截尾巴。原来，这是
yā zi zài shuǐ xià de yū ní zhōng xún zhǎo xiǎo luó sī xiǎo yú shuǐ cǎo gēn děng kě kǒu de
鸭子在水下的淤泥中寻找小螺蛳、小鱼、水草根等可口的
shí wù ne
食物呢！

为什么说“青蛙叫，大雨到”？

qīng wā xǐ huan zài cháo shī de huán jìng li shēng huó měi tiān yào chī dà
青蛙喜欢在潮湿的环境里生活，每天要吃大
liàng hài chóng shì shòu bǎo hù de dòng wù tiān yào xià yǔ shí kōng qì
量害虫，是受保护的动物。天要下雨时，空气
zhōng de shuǐ fèn zēng duō shī dù zēng dà qīng wā tōng guò tā nà shī
中的水分增多，湿度增大，青蛙通过它那湿
rùn de pí fū jiù néng cóng cháo shī
润的皮肤，就能从潮湿
de kōng qì li xī qǔ dà liàng
的空气里吸取大量

yǎng qì gǎn dào fēi cháng kuài huó yīn ér tè bié huó yuè yú shì guā
氧气，感到非常快活，因而特别活跃，于是呱
guā de jiào gè bù tíng suǒ yǐ měi dāng qīng wā jiào de tè bié huān de shí
呱地叫个不停。所以每当青蛙叫得特别欢的时
hou rén men jiù zhī dào tiān kě néng huì xià yǔ le
候，人们就知道天可能会下雨了。

动动小脑筋

wèn wèi shén me kē dǒu bù néng lí kāi shuǐ
问：为什么蝌蚪不能离开水？

dá qīng wā de luǎn zài shuǐ zhōng fū huà hòu jiù biàn chéng le kē dǒu kē dǒu yǒu
答：青蛙的卵在水中孵化后，就变成了蝌蚪，蝌蚪有
yí gè dà dà de tóu xì xì de wěi ba shēn tǐ hēi liàng hēi liàng de fēi cháng hǎo wán
一个大大的头，细细的尾巴，身体黑亮黑亮的，非常好玩。
kē dǒu de tóu liǎng biān yǒu sāi tā jiù shì yòng sāi cóng shuǐ zhōng xī shōu yǎng qì de lí kāi
蝌蚪的头两边有鳃，它就是用鳃从水中吸收氧气的。离开
le shuǐ tā jiù bù néng hū xī le mǎ shàng jiù huì sǐ diào
了水，它就不能呼吸了，马上就会死掉。

说说哪个对

qīng wā shì yòng fèi lái xī qǔ yǎng qì de
青蛙是用肺来吸取氧气的！

bù wán quán duì
不完全对！

zhèng què dá àn qīng wā shì yóu kē dǒu biàn chéng de dāng tā yǐ shuǐ zhōng pá shàng lù
正确答案：青蛙是由蝌蚪变成的，当它以水中爬上陆
dì hòu jiù zhǔ yào gǎi yòng fèi lái hū xī le bú guò qīng wā de pí fū yě shì tā
地后，就主要改用肺来呼吸了。不过，青蛙的皮肤也是它
de hū xī qì guān tè bié shì zài shī rùn de huán jìng li pí fū xī shōu yǎng de xiào guǒ
的呼吸器官，特别是在湿润的环境里，皮肤吸收氧的效果
jiù gèng hǎo suǒ yǐ qīng wā zǒng ài tiào jìn shuǐ li shǐ pí fū bú zhì yú gān zào
就更好。所以，青蛙总爱跳进水里，使皮肤不至于干燥。

屎壳郎为什么会出国？

滚粪球的屎壳郎为何远渡重洋，出国到澳大利亚去了？原来，屎壳郎是一种爱吃粪的昆虫。澳大利亚以畜牧业为主，那里的羊大多从欧洲引进，由于澳大

小呀嘛屎壳郎呀，
滚着牛粪去牧场！
welcome

利亚的屎壳郎不吃牛羊粪，致使牛羊粪堆积如山，牧草成片死去，只好请中国爱吃牛羊粪的屎壳郎出国，到澳大利亚去推“洋粪球”，帮助他们解决清除牛羊粪的难题。

想想真有趣

屎壳郎的学名叫“蜣螂”，每到产卵季节，它们就把牲畜的粪便在地面上滚成粪球，再把粪球推到一个合适的地方，挖一个坑，把粪球埋起来并把卵产在粪球中。当幼虫孵化后，就可以毫不费力地得到食物，发育成长了。

动动小脑筋

问：昆虫一生要经过几个阶段？

答：有的昆虫一生要经过四个阶段，叫“完全变态”，有的昆虫一生只要经过三个阶段，叫“不完全变态”。毛毛虫要经过虫卵、毛毛虫，蛹、蝴蝶四个阶段，是完全变态；蝗虫缺少蛹这个阶段，是不完全变态。

蝴蝶的翅膀为什么那样美丽？

hú dié de chì bǎng shang shēng zhǎng zhe yì céng jí wēi xiǎo de xíng zhuàng gè
蝴蝶的翅膀上生长着一层极微小的形状各
yì de lín piàn lín piàn li hán yǒu xǔ duō zhǒng tè shū huà xué sè sù kē
异的鳞片。鳞片里含有许多种特殊化学色素颗
lì zhè wǔ yán liù sè de kē lì zǔ hé dào yì qǐ biàn gòu chéng le
粒，这五颜六色的颗粒组合到一起，便构成了
xuàn lì duō cǎi de tú àn lín piàn shang hái shēng zhǎng zhe héng xíng tiáo wén
绚丽多彩的图案。鳞片上还生长着横形条纹，
zhè zhǒng tiáo wén yuè duō jiù yuè shǎn shuò zhe měi lì duō cǎi de guāng máng
这种条纹越多，就越闪烁着美丽多彩的光芒。

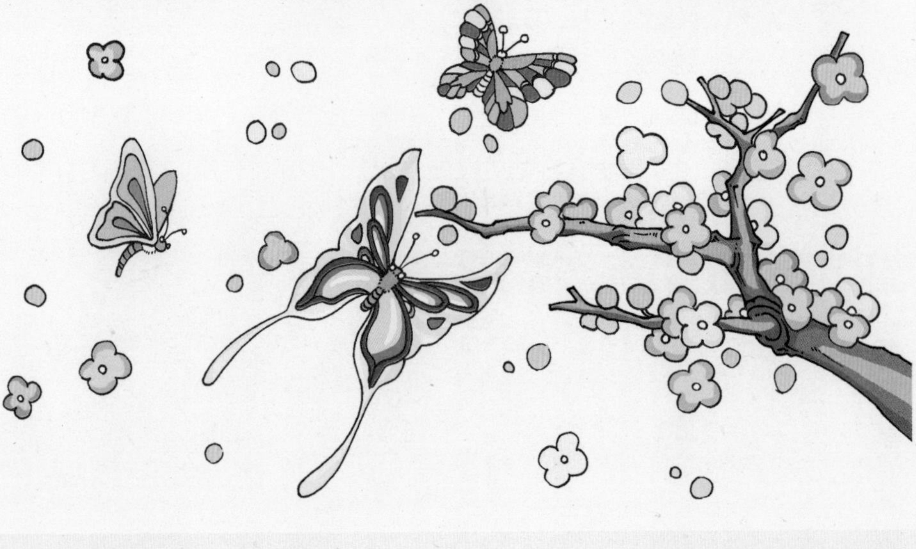

说说哪个对

除了化学色素，还有物理色，对吗？

对的！

正确答案： 蝴蝶翅膀的鳞片上，还存在着一种物理色，这种物理色是由鳞片表面的特殊构造产生的，使照在它上面的光线发生反射而现出五彩缤纷的色彩。化学色素会因为氧化作用而消退，物理色却是永远不变的。

想想真有趣

蝴蝶主要也是以吸食花儿的蜜汁来生存的，它有一个十分特别的嘴巴。平时，它的又细又长像吸管一样的嘴巴总是盘着的，像一盘蚊香一样。当它找到花蜜后，管子会伸得很长，一直伸到花朵的深处，美美地吃上一顿。

放屁虫为何要“放臭屁”？

有一种叫“椿象”的昆虫，我国北方叫“臭大姐”，南方叫“放屁虫”。放屁虫之所以要“放臭屁”，是为了防御敌人的侵害。放屁虫的臭屁不是从它的肛门放出来，

ér shì cóng tā shēn tǐ li de yí gè chòu xiàn zhōng fàng chū lái de dāng dí
而是从它身体里的一个臭腺中放出来的。当敌
hài pèng dào tā de shēn tǐ shí chòu xiàn biàn fēn mì chū huī fā xìng jí kuài
害碰到它的身体时，臭腺便分泌出挥发性极快
ér jí chòu de yè tǐ lái bǎ dí rén gǎn pǎo
而极臭的液体来把敌人赶跑。

动动小脑筋

wèn zhī liǎo shòu dào jīng xià wèi shén me yào sā niào
问：知了受到惊吓为什么要撒尿？

dá zhī liǎo zài shòu dào jīng xià táo pǎo shí wǎng wǎng huì sā yì pào niào zhè kě
答：知了在受到惊吓逃跑时，往往会撒一泡尿。这可
bú shì yīn wei tā pì gǔn niào liú ér shì wèi le jiǎn qīng shēn tǐ de zhòng liàng yǐ
不是因为它“屁滚尿流”，而是为了减轻身体的重量，以
biàn fēi de gèng kuài xiē yuán lái zhī liǎo yǐ xī shí zhí wù de zhī yè wéi shēng shēn tǐ
便飞得更快些。原来，知了以吸食植物的汁液为生，身体
li yǒu hěn duō shuǐ fèn pái qù yì xiē hǎo bǎo quán xìng mìng
里有很多水分，排去一些，好保全性命。

说说哪个对

zhī liǎo de yòu chóng zài dì xià bù chī dōng xi
知了的幼虫在地下不吃东西！

bú duì tā yě chī dōng xi
不对，它也吃东西。

zhèng què dá àn zhī liǎo zài shù shang chǎn luǎn hòu fū huà chū lái de yòu chóng biàn shùn
正确答案：知了在树上产卵后，孵化出来的幼虫便顺
zhe shù gàn pá dào dì xià hái yào zài dì xià shēng huó hǎo jǐ nián rán hòu zài chū lái biàn
着树干爬到地下，还要在地下生活好几年，然后再出来变
chéng zhī liǎo yòu chóng zài dì xià huì yòng zhēn guǎn yàng de zuǐ cì jìn shù gēn xī shí zhī yè
成知了。幼虫在地下会用针管样的嘴刺进树根，吸食汁液
shēng huó suǒ yǐ zhī liǎo shì huài dōng xi
生活。所以，知了是坏东西！

蟋蟀怎么那么好斗？

jiāng liǎng zhī xióng xìng xī shuài fàng rù pén zhōng shāo jiā yǐn dòu tā men
将两只雄性蟋蟀放入盆中，稍加引逗，它们
jiù huì huàngdòng chù jiǎo lòu chū dà bān yá zhèn chì míng jiào jiē zhe
就会晃动触角，露出大扳牙，振翅鸣叫，接着
shuāngfāng jiù bó dòu qǐ lái xī shuài wèi hé rú
双方就搏斗起来。蟋蟀为何如
cǐ hào dòu zhè yǔ tā de shēng huó xí xìng
此好斗？这与它的生活习性
yǒu guān xì xī shuài xǐ huan dú jū yú
有关系。蟋蟀喜欢独居于
yí gè tǔ xué li xìng qíng
一个土穴里，性情

gū pì bù hé qún jué duì bù yǔ tóng xìng zhù zài yì qǐ zhǐ yǒu
孤僻，不合群，绝对不与同性住在一起。只有
dào le jiāo pèi qī cái gēn yì xìng tóng jū zhèng yīn wèi rú cǐ tóng
到了交配期，才跟异性同居。正因为如此，同
xìng xī shuài yí dàn xiāng pèng jiù huì xiōng měng de bó dòu qǐ lái
性蟋蟀一旦相碰，就会凶猛地搏斗起来。

想想真有趣

zài dòng wù shì jiè li dà duō shù jiào shēng xiǎng liàng yōu měi de dòng wù dōu shì xióng
在动物世界里，大多数叫声响亮、优美的动物都是雄
xìng xī shuài yě shì zhǐ yǒu xióng xìng cái huì chàng gē de xióng xī shuài chàng gē de mù
性，蟋蟀也是只有雄性才会“唱歌”的。雄蟋蟀唱歌的目
dì shì xuàn yào zì jǐ de gē shēng biǎo míng zì jǐ cún zài de wèi zhì shì xiàng cí xī shuài
的是炫耀自己的歌声，表明自己存在的位置，是向雌蟋蟀
qiú ài de zhòng yào fāng shì hé dà gōng jī shì yí yàng de
求爱的重要方式，和大公鸡是一样的。

说说哪个对

xī shuài de gē shēng shì cóng zuǐ li fā chū lái de
蟋蟀的歌声是从嘴里发出来的！

bú duì shì yòng dù pí fā chū lái de
不对，是用肚皮发出来的。

zhèng què dá àn dōu bú duì xī shuài de gē shēng shì yī kào qián chì mó cā fā chū
正确答案：都不对！蟋蟀的歌声是依靠前翅摩擦发出
lái de tā de yí cè qián chì shàng mian zhǎng zhe yì pái hěn xì de chǐ lìng yí cè qián chì
来的。它的一侧前翅上面长着一排很细的齿，另一侧前翅
shàng mian zhǎng zhe yí gè tū qǐ de cì dāng tā men xiāng hù mó cā shí chǎn shēng shēng yīn zài
上面长着一个凸起的刺。当它们相互摩擦时产生声音，再
tōng guò chì yì de zhèn dòng měi miào de gē shēng jiù fā chū lái le
通过翅翼的振动，美妙的“歌声”就发出来了。

蜜蜂蜇人后为什么会死去？

蜜蜂蜇人后，自己也会死去。原因是蜜蜂蜇人的刺针是由一根背刺针和两根腹刺针组成的。其末端同体内的大、小毒腺及内脏器官相连，刺针尖端带有倒钩。蜜蜂蜇

人后，刺针的倒钩挂住人的皮肤，使刺针拔不出来，但蜜蜂又必须飞走，飞走时一用力，就把内脏拉坏甚至拉脱掉，蜜蜂就活不成了。

说说哪个对

蜜蜂是靠眼睛找到花蜜的！

蜜蜂是靠鼻子找到花蜜的！

正确答案：都对！产生花蜜的花朵不仅色彩绚丽，而且还会散发各种各样的气味，蜜蜂就是靠眼睛识别花朵、靠鼻子感觉气味才能找到花蜜的。蜜蜂群里的侦察蜂特别聪明，能找到几公里外的蜜源。

想想真有趣

侦察蜂找到蜜源后，就会用一种特别的舞蹈语言告诉自己的同伴。于是小蜜蜂便会成群地飞向蜜源。它们每天飞来飞去40多次，每次采集100多朵花中的蜜汁。可一只蜜蜂一天只能采到0.5克花蜜，真不容易呀！

鱼为什么能在水中停止不动？

yú tǐ nèi yǒu yí gè chōng mǎn qì tǐ de bái sè cháng náng yú
鱼体内有一个充满气体的白色长囊——鱼
biào zhè ge biào kòng zhì zhe yú shēn tǐ de chén fú chù yú bù tóng de
鳔。这个鳔控制着鱼身体的沉浮。处于不同的
shuǐ shēn shí yú shēn tǐ de bǐ zhòng tóng zhōu wéi shuǐ de
水深时，鱼身体的比重同周围水的
bǐ zhòng xiāng děng huò xiāng
比重相等或相
jìn jiù bǎo chí píng
近，就保持平
héng yú de sāi
衡；鱼的鳃
kǒng jìn xíng hū xī
孔进行呼吸
shí cóng sāi gài
时，从鳃盖
pēn chū de shuǐ suī
喷出的水虽
rán chǎn shēng yì gǔ
然产生一股
jiāng yú xiàng qián tuī
将鱼向前推
de fǎn zuò yòng lì
的反作用力，

dàn shì yú de xiōng qí de ǒu ěr huà dòng kě jiāng zhè gǔ lì dǐ xiāo
但是鱼的胸鳍的偶尔划动，可将这股力抵消，
bú zhì shǐ yú shī qù píng héng suǒ yǐ yú néng zài shuǐ zhōng bǎo chí bú
不致使鱼失去平衡。所以鱼能在水中保持不
dòng zhuàng tài
动状态。

动动小脑筋

wèn yǒu huì pá shù de yú ma
问：有会爬树的鱼吗？

dá yǒu zài yà rè dài de yì xiē zhǎo zé dì qū shēng huó zhe yì zhǒng jì néng
答：有，在亚热带的一些沼泽地区，生活着一种既能
zài shuǐ zhōng shēng huó yòu néng pá shàng lù dì de dàn tú yú tā zhǎng zhe yì shuāng cū zhuàng yǒu
在水中生活又能爬上陆地的弹涂鱼。它长着一双粗壮有
lì xiàng zhuǎ zi yí yàng de xiōng qí kě yǐ shùn zhe shù gàn pá shàng shù zhī bǔ zhuō xiǎo
力、像爪子一样的胸鳍，可以顺着树干爬上树枝，捕捉小
niǎo hé kūn chóng chī
鸟和昆虫吃。

说说哪个对

yú dōu shì yòng sāi hū xī de
鱼都是用鳃呼吸的？

bù yí dìng ba
不一定吧！

zhèng què dá àn yǒu de yú zài shuǐ zhōng yī kào sāi de hū xī ér huò dé yǎng qì
正确答案：有的鱼在水中依靠鳃的呼吸而获得氧气，
dàn xiàng nián yú dàn tú yú děng què néng pá shàng lù dì kào pí fū hé kǒu qiāng li de xǔ
但像鲇鱼、弹涂鱼等却能爬上陆地，靠皮肤和口腔里的许
duō xì xiǎo de xuè guǎn jìn xíng hū xī ní qiū lí kāi shuǐ hòu kě yǐ yòng cháng zi hū xī
多细小的血管进行呼吸。泥鳅离开水后可以用肠子呼吸；
fèi yú kě yǐ yòng biào lái hū xī
肺鱼可以用鳔来呼吸。

鳄鱼"流泪"是发慈悲吗？

shēng huó zài hé hǎi zhōng de è yú shí fēn xiōng cán tā men bú dàn chī
生活在河海中的鳄鱼十分凶残。它们不但吃
yú xiā yě chī lù dì shang de dòng wù shèn zhì hái chī rén hé gōng jī
鱼虾，也吃陆地上的动物，甚至还吃人和攻击
xiǎo chuán yóu qí zài fán zhí jì jié gèng jiā xiōngměng kě shì zài è yú
小船，尤其在繁殖季节更加凶猛。可是在鳄鱼
tūn shí liè wù shí què zǒng shì liú zhe yǎn
吞食猎物时，却总是流着眼

泪。其实这并不是悲伤时流出的眼泪，而是在通过它体内的盐腺排泄体内多余的盐分。有的鳄鱼性情温和，像我国的扬子鳄主要吃鱼、龟、河蚌、田螺等，并不主动攻击人。

想想真有趣

海水中含有大量的盐分，又咸又苦，然而生活在海水里的鱼为什么不咸呢？原来，生活在海水中的鱼，鳃丝上都长着排盐细胞。这种细胞能把由血液带来的盐分及时排出体外，使鱼的肉和其他动物的肉一样，不会积存过多的盐分。

动动小脑筋

问：冬天河面结了冰，鱼虾为什么冻不死？

答：冬天，河面结了厚厚的冰层，甚至可以在上面行人、行车，但冰面下的水却仍在0℃以上，鱼儿照样生活得很好。再说，河水是流动的，水里的氧气也不会缺少，鱼儿在冰下就更舒服了。

飞鱼真能飞吗？

fēi yú bù néng zhēnzhèng fēi xíng ér zhǐ néng rú tóng huá xiáng jī yí yàng
飞鱼不能真正飞行，而只能如同滑翔机一样
zài kōngzhōng huá xiáng fēi yú qǐ fēi shí xiōng qí hé fù qí jǐn tiē shēn
在空中滑翔。飞鱼起飞时，胸鳍和腹鳍紧贴身
tǐ yòng lì bǎi dòng wěi qí zài shuǐ
体，用力摆动尾鳍，在水
zhōng kuài sù yóu dòng dāng tóu lòu
中快速游动；当头露
chū shuǐ miàn shí xiōng qí suí jí
出水面时，胸鳍随即
zhāng kāi fù qí réng jǐn tiē
张开，腹鳍仍紧贴
shēn tǐ wěi qí zài shuǐ
身体，尾鳍在水
zhōng jì xù pāi dǎ
中继续拍打；
dāng shēn tǐ quán bù
当身体全部
lòu chū shuǐ miàn
露出水面

hòu fù qí yě zhāng kāi jiè zhù shàng shēng qì liú xiàng qián chōng shè fēi
后，腹鳍也张开，借助上升气流向前冲射飞
xíng jǐ miǎo zhōng hòu biàn yòu luò rù shuǐ zhōng
行，几秒钟后便又落入水中。

说说哪个对

fēi yú yuè chū shuǐ miàn shì wèi le hǎo wán er
飞鱼跃出水面是为了好玩儿！

bú duì shì wèi le tiào gāo
不对，是为了跳高！

zhèng què dá àn dōu bú duì zài hǎi yáng li yǒu yì xiē zhuān mén chī yú de yú
正确答案：都不对。在海洋里，有一些专门吃鱼的鱼，
bǐ rú xiōng měng de shā yú jīn qiāng yú jiàn yú děng dāng fēi yú de yú qún pèng dào tā
比如凶猛的鲨鱼、金枪鱼、箭鱼等，当飞鱼的鱼群碰到它
men hòu jiù huì yǒu wēi xiǎn wèi le táo bì tā men de zhuī bǔ fēi yú wǎng wǎng huì ná
们后，就会有危险。为了逃避它们的追捕，飞鱼往往会拿
chū zì jǐ huì fēi de běn lǐng táo dào bǐ jiào ān quán de dì fang qù
出自己“会飞”的本领，逃到比较安全的地方去。

想想真有趣

zài hǎi yáng li chú le fēi yú huì fēi hái yǒu yì zhǒng míng jiào fú fèn de yú yě
在海洋里，除了飞鱼会飞，还有一种名叫蝠鲼的鱼也
néng fēi xiáng zài shuǐ miàn fú fèn shēn tǐ hěn dà hěn bèn zhòng dàn zài shuǐ zhōng xíng
能“飞翔”在水面。蝠鲼身体很大，很笨重，但在水中行
dòng què hěn mǐn jié tā cháng cháng zài yè wǎn yuè chū shuǐ miàn yìng zhe jiǎo jié de yuè guāng
动却很敏捷，它常常在夜晚跃出水面，映着皎洁的月光，
xiàng yì zhī měi lì de dà fēng zhēng yí yàng zài shuǐ miàn fēi xiáng
像一只美丽的大风筝一样在水面“飞翔”。

泥鳅离开水为什么还能生活？

泥鳅离开水在泥浆里生活时，就用肠子呼吸。它的肠子与食道、肛门相连结，形成一根短短的直管。肠子上布满了许多毛细血管，能吸收空气中的氧气。当它用肠子呼吸时，所产生的二氧化炭等气体，就像“放屁”一样从

gāng mén pái chū， suǒ yǐ cháng cháng huì cóng ní jiāng li mào chū xǔ duō qì
肛门排出，所以常常会从泥浆里冒出许多气
pào lái
泡来。

动动小脑筋

wèn: ní qiū wèi shén me huì yù bào tiān qì
问：泥鳅为什么会预报天气？

dá: ní qiū zài shuǐ zhōng shì yòng sāi lái hū xī de， zài tiān qíng shí， shuǐ zhōng de
答：泥鳅在水中是用鳃来呼吸的，在天晴时，水中的
yǎng qì chōng zú， tā jiù jìng jìng de pā zài shuǐ dǐ， bú ài huó dòng。xià yǔ zhī qián mèn
氧气充足，它就静静地趴在水底，不爱活动。下雨之前闷
rè shí， shuǐ li de yǎng qì jiǎn shǎo， tā wǎng wǎng huì fú chū shuǐ miàn， yòng cháng zi lái xī shōu
热时，水里的氧气减少，它往往会浮出水面，用肠子来吸收
yǎng qì。rén men gēn jù ní qiū de bù tóng biàn huà， jiù kě yǐ yù cè tiān qì qíng kuàng le。
氧气。人们根据泥鳅的不同变化，就可以预测天气情况了。

说说哪个对

ní qiū shēn shang de nián yè shì wèi le hǎo kàn
泥鳅身上的黏液是为了好看！

cái bú shì li
才不是哩！

zhèng què dá àn: ní qiū shēn tǐ biǎo miàn de nián yè shì tā yòng lái bǎo hù shēn tǐ yòng
正确答案：泥鳅身体表面的黏液是它用来保护身体用
de， yīn wei yǒu le yì céng yòu nián yòu huá de nián yè， dāng tā zài shuǐ dǐ yóu dòng shí pèng
的，因为有了一层又粘又滑的黏液，当它在水底游动时碰
le shí tóu、shā lì yě bú huì sǔn shāng pí fū。rú guǒ bèi rén zhuā zhù， tā yì niǔ dòng
了石头、砂粒也不会损伤皮肤。如果被人抓住，它一扭动
shēn tǐ， jiù kě yǐ huá luò shuǐ zhōng， táo zǒu le。
身体，就可以滑落水中，逃走了。

珊瑚为什么属于动物？

shān hú chóng shì yì zhǒng shí ròu de dī děng dòng wù shān hú zhǒng lèi hěn
珊瑚虫是一种食肉的低等动物。珊瑚种类很
duō tè bié xǐ huan zài gāo wēn jié jìng liú dòng de shuǐ li shēng
多，特别喜欢在高温、洁净、流动的水里生
huó duō shù kě chū yá shēng zhí yá tǐ bù fēn lí xiāng hù lián jié
活。多数可出芽生殖，芽体不分离，相互连结
wéi gòng tóng shēng huó de qún tǐ gòu chéng
为共同生活的群体，构成

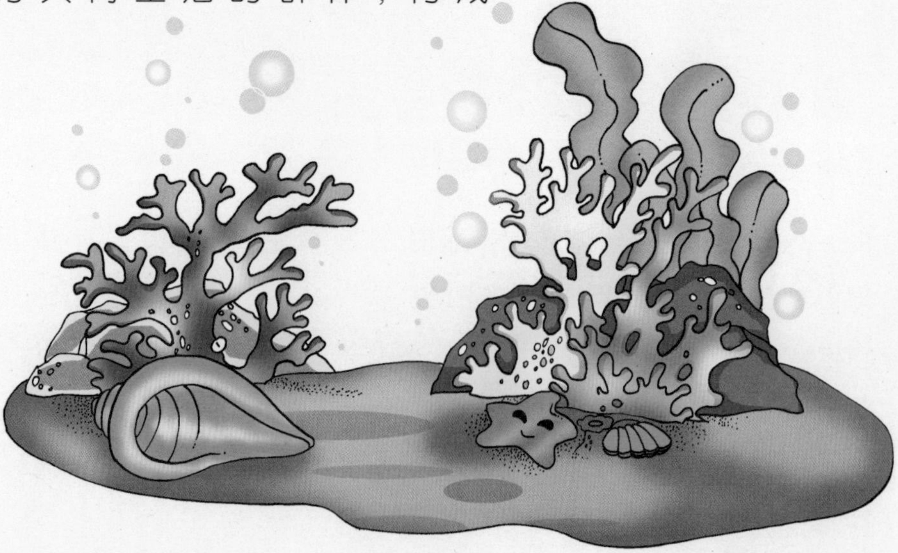

树枝状。珊瑚的单体称为“珊瑚虫”，通常见到的珊瑚，是它们的肉体腐烂后剩下的骨骼。

想想真有趣

珊瑚喜欢生活在水温比较高的浅海里，小珊瑚虫非常热爱它们的集体生活，总是亲亲热热地在一起，所以就越长越多，最后变成了珊瑚礁。珊瑚礁是鱼儿喜欢生活、繁殖的好地方，所以，我国禁止随便采集珊瑚。

动动小脑筋

问：什么叫腔肠动物？

答：腔肠动物的体壁由内外两层构成，两层之间为胶质。它的身体中间是一个空腔，既是消化器官又是体腔，它是一种低等动物。常见的腔肠动物有珊瑚、水母和海葵。我们平时吃的海蜇就是水母中的一种。

植物是否有血型？

nián rì běn fǎ yī
1983年，日本法医
shān běn zài pò àn zhōng ǒu
山本在破案中，偶
rán fā xiàn qiáo mài pí yǒu xuè
然发现荞麦皮有血
xíng cóng ér yán jiū le
型，从而研究了500
duō zhǒng zhí wù de guǒ shí
多种植物的果实。
tā fā xiàn píng guǒ luó
他发现苹果、萝
bo cǎo méi shān
卜、草莓、山
chá nán guā děng duō
茶、南瓜等60多
zhǒng zhí wù shì xíng
种植物是O型
xuè luó hàn sōng děng
血；罗汉松等20
duō zhǒng zhí wù shì xíng
多种植物是B型
xuè qiáo mài jīn yín huā
血；荞麦、金银花、

lǐ zi dān yè fēng děng shì xíng xuè zhǐ shì zhì jīn shàng wèi fā xiàn
李子、单叶枫等是AB型血；只是至今尚未发现
xíng xuè de zhí wù yīn cǐ zhí wù yě yǒu xuè xíng
A型血的植物。因此，植物也有血型。

动动小脑筋

wèn zhí wù yǒu xìng bié ma
问：植物有性别吗？

dá rén yǒu nán nǚ dòng wù yǒu cí xióng dàn shì zhí wù què jué dà bù fen shì
答：人有男女，动物有雌雄，但是植物却绝大部分是
cí xióng tóng tǐ jí shǎo shì cí xióng yì tǐ zhǐ yǒu cí xióng yì zhū de zhí wù shì yǒu xìng
雌雄同体，极少是雌雄异体。只有雌雄异株的植物是有性
bié de rú yín xìng yáng liǔ kāi xīn guǒ děng tā men cí shù kāi cí huā xióng shù
别的。如银杏、杨柳、开心果等。它们雌树开雌花、雄树
kāi xióng huā cí shù jiē guǒ xióng shù bù jiē guǒ
开雄花，雌树结果，雄树不结果。

说说哪个对

cí yín xìng kāi huā yǐ hòu jiù kě yǐ jiē chū yín xìng guǒ le
雌银杏开花以后就可以结出银杏果了。

cí yín xìng shù kāi huā yǐ hòu bù yí dìng jiē guǒ
雌银杏树开花以后不一定结果。

zhèng què dá àn zhǐ yǒu cí shù ér wú xióng shù cí shù kāi huā wú fǎ chuán fěn
正确答案： 只有雌树而无雄树，雌树开花无法传粉，
cí shù yě jiù jiē bù chū guǒ zi lái
雌树也就结不出果子来。

什么是植物的拉丁学名？

yòng lā dīng wén mìng míng zhí wù chēng wèi zhí wù de lā dīng xué míng
用拉丁文命名植物，称为植物的拉丁学名。

lā dīng xué míng yóu liǎng gè cí zǔ chéng dì yī gè cí jiào shǔ míng cháng yòng lā dīng wén míng cí dì èr gè cí jiào zhǒng jiā míng jiù chēng zhǒng míng duō yòng lā dīng wén xíng róng cí bù fen yòng míng cí zhè zhǒng yóu liǎng gè cí gòu
拉丁学名由两个词组成：第一个词叫属名，常用拉丁文名词；第二个词叫种加名（旧称种名），多用拉丁文形容词，部分用名词。这种由两个词构

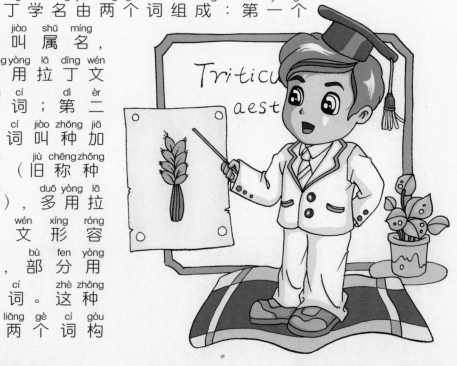

成的拉丁名，叫双名法。通常在拉丁名后附上命名者的名字。

动动小脑筋

问：你知道小麦的拉丁学名吗？

答：小麦的拉丁名为 Triticum aestivumL.，第一个词为小麦属，第二个词为夏季的，命名人为林奈（Linnaeus 缩写为L.）。

想想真有趣

我国有一种植物叫益母草，拉丁学名是 Leonurs japonicus Hcutt。看到拉丁学名便知它是唇形科益母草属的一种，而仅看中文名就有红花菜、千层塔、益母艾等20多个名字。

为什么有些植物能预报天气？

我国广西忻城县有棵青冈树，晴天时，由于它叶片中所含叶绿素相对花青素来说占优势，所以呈深绿色；要下雨时，由于在雨前常有强光闷热天气出现，这种天气，抑制着叶绿素的合成，而使花青素的合成加快并在叶片中

占优势，树叶由绿变红。总之，有些植物是能以它们的花、叶变化来向人们预报天气的。

动动小脑筋

问："报雨花"为什么能预报天气？

答：生长在澳大利亚和新西兰的"报雨花"，它的花瓣对湿度很敏感。当空气湿度增大到一定程度时，花瓣萎缩，将花蕊包起来，预示不久天要下雨；当空气湿度减小时，花瓣展开，预示天要放晴了。

想想真有趣

科学家分析：地震前，植物会出现异常反应，体内出现强大电流的现象，也许是因为植物根系很灵敏，从而可以捕捉到地下发生的许多物理化学变化（包括地下水和大地电位、电流、磁场等变化）所致。

为什么说植物是地质学家找矿的“侦察兵”？

植物在生长发育过程中，特别需要某种矿物，于是就将其根系深深扎入地下，去寻找这些矿物元素。有些植物在吸收金属离子后，改变了细胞液的酸碱度，导致花色体态改变，从而指示人们寻找矿藏，所以被称为找矿的

zhēn chá bīng lì rú zài hán xīn de tǔ rǎng zhōng sān sè jǐn
“侦察兵”。例如：在含锌的土壤中，三色堇
zhǎng de tè bié mào shèng qí yuán xíng huā bàn shang de lán bái huáng sān
长得特别茂盛，其圆形花瓣上的蓝、白黄三
sè biàn de gèng jiā xiān yàn
色变得更加鲜艳。

想想真有趣

qīng hāo zài yì bān tǔ rǎng zhōng zhǎng de tè bié gāo dà ér suí zhe tǔ rǎng hán péng liàng
青蒿在一般土壤中长得特别高大，而随着土壤含硼量
de biàn huà ér biàn chéng ǎi lǎo tóu ér shù mù hài jù shù zhèng shù zhī shēn de
的变化而变成“矮老头”。而树木害“巨树症”，树枝伸得
bǐ shù gàn hái cháng yè zi què xiǎo de kě lián de jī xíng qíng kuàng shì yóu yú xī shōu le
比树干还长，叶子却小得可怜的畸形情况，是由于吸收了
dì xià mái cáng de shí yóu zào chéng de
地下埋藏的石油造成的。

动动小脑筋

wèn shuí shì shù zhōng de hé píng shǐ zhě
问：谁是树中的和平使者？

dá gǎn lǎn shù shì shù zhōng de hé píng shǐ zhě zài lián hé guó de huī biāo shang
答：橄榄树是树中的和平使者。在联合国的徽标上，
liǎng méi gǎn lǎn zhī chèn tuō zhe zhěng gè dì qiú zhè jiù shì guó jì shang hé píng de xiàng zhēng
两枚橄榄枝衬托着整个地球，这就是国际上和平的象征。

为什么施肥过多会使植物死亡？

féi liào yì bān dōu huì róng jiě yú shuǐ hòu bèi zhí wù de gēn bù xī
肥料一般都会溶解于水后被植物的根部吸
shōu rú guǒ shī féi
收。如果施肥
guò duō róng jiě zài
过多，溶解在
shuǐ zhōng de féi liào
水中的肥料
hán liàng jiù huì guò
含量就会过
gāo shǐ shuǐ de shèn
高，使水的渗
tòu yā lì biàn dà
透压力变大，
cóng ér yǐng xiǎng xī
从而影响吸
shōu bú dàn zhí wù
收；不但植物
gēn bù xī shōu bú
根部吸收不
dào yǎng liào hái huì
到养料，还会
shǐ zhí wù de shuǐ
使植物的水

fèn cóng gēn bù shèn tòu chū lái zhè yàng zhí wù bú dàn bù néng xī qǔ
分从根部渗透出来。这样，植物不但不能吸取
zú gòu de yǎng liào hé shuǐ fèn ér qiě hái yào shī qù shuǐ fèn cóng ér
足够的养料和水分，而且还要失去水分，从而
dǎo zhì zhí wù kū sǐ
导致植物枯死。

说说哪个对

bǎ chòu jī dàn jī yā yú de nèi zàng mái rù pén tǔ kě yǐ zēng jiā zhí
把臭鸡蛋、鸡、鸭、鱼的内脏埋入盆土可以增加植
wù yǎng fèn
物养分。

bù jīng fā jiào de féi liào huì shǐ zhí wù sǐ wáng
不经发酵的肥料会使植物死亡。

zhèng què dá àn féi liào bù jīng fā jiào ér zhí jiē mái rù pén nèi dāng yù shuǐ fēn
正确答案：肥料不经发酵而直接埋入盆内，当遇水分
zǐ jìn xíng fā jiào huì chǎn shēng gāo wēn zhí jiē tàng dào huā huì gēn xì tóng shí wèi fǔ
子进行发酵会产生高温，直接烫到花卉根系。同时，未腐
shú féi liào zài fā jiào shí huì chǎn shēng yì zhǒng chòu wèi zhāo lái yíng lèi chǎn luǎn qū chóng yě
熟肥料在发酵时会产生一种臭味，招来蝇类产卵，蛆虫也
néng yǎo shāng gēn xì wēi hài huā huì shēng zhǎng chòu wèi hái néng wū rǎn huán jìng
能咬伤根系，危害花卉生长，臭味还能污染环境。

想想真有趣

yòng huà xué féi liào huò wēi liàng yuán sù de xī shì yè pēn sǎ yè miàn jīng yè zi qì
用化学肥料或微量元素的稀释液喷洒叶面，经叶子气
kǒng yě kě yǐ bèi zhí wù xī shōu hé lì yòng fā shēng huáng huà bìng de huā huì pēn shī
孔也可以被植物吸收和利用。发生黄化病的花卉，喷施
liú suān yà tiě róng yè yè piàn huì zhú jiàn yóu huáng zhuǎn lǜ
0.2%～0.5%硫酸亚铁溶液，叶片会逐渐由黄转绿。

树干为什么都是圆的？

首先，相等周长的图形，圆的面积最大，所以圆形树干中的导管和筛管的分布数量多，输送水分和养料的能力也大；其次，圆形树干的容积也最大，具有最大的支持力，可以支撑高大而沉重的树冠；第三，圆形树干能最有效地防

止外来的伤害，如动物咬伤，机械击损，狂风吹打等。圆形树干是树木长期适应自然环境、进化的结果。

动动小脑筋

问：什么是树的年轮？

答：在被砍伐的树桩上，有许多极清晰分界的同心圆，这些同心圆每年产生一圈。这些同心圆就是树的年轮。数这些同心圆的圈数就能知道树的树龄。

想想真有趣

在辨认年轮时，要注意假年轮。柑桔树一年能产生2～3圈年轮；因气候变化或发生病害，树的年轮可能被打乱；在季节性不明显的地区，树的年轮也不明显，但人们仍能用化学的方法辨认。

为什么要在铁树上钉上铁钉子？

铁是生物不可缺少的物质。因为生物的呼吸输送氧气等都需要铁的作用。一般生物对铁的需求量不大，自己都能摄取到足够的铁。但是铁树却需要大量的铁，因此在铁树上钉个铁钉子，可以使它长得更好。

说说哪个对

tiě shù qiān nián cái kāi yí cì huā
铁树千年才开一次花。

tiě shù měi nián dōu huì kāi huā
铁树每年都会开花。

zhèng què dá àn rú guǒ yǒu shì yí de shēngzhǎng tiáo jiàn tiě shù nián biàn huì kāi huā jiē guǒ yǐ hòu měi nián huò xiāng gé jǐ nián yě néng gòu zài cì kāi huā jiē guǒ
正确答案：如果有适宜的生长条件，铁树20年便会开花结果，以后每年或相隔几年也能够再次开花结果。

动动小脑筋

wèn tiě shù wèi shén me bú yì kāi huā
问：铁树为什么不易开花？

dá tiě shù de lǎo jiā zài rè dài xí guàn yú rè dài shēng huó tā tè bié pà lěng tiě shù zài rén men yìn xiàngzhōng bú yì kāi huā shì yīn wèi wǒ guó dà bù fen dì chù wēn dài hé hán dài yì nián zhōng qì wēn biàn huà dà zài zhè zhǒng duì tiě shù bú dà shì yí de huán jìng li tā jiù hěn nán kāi huā le
答：铁树的老家在热带，习惯于热带生活，它特别怕冷。铁树在人们印象中不易开花，是因为我国大部分地处温带和寒带，一年中气温变化大。在这种对铁树不大适宜的环境里，它就很难开花了。

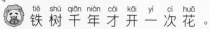

树上也长“面包”吗？

wǒ men dà gài dōu chī guò yòng miàn fěn kǎo zhì de miàn bāo kě shì nán
我们大概都吃过用面粉烤制的面包，可是南
tài píng yáng yì xiē dǎo yǔ shang de jū mín tā men chī de què shì cóng shù
太平洋一些岛屿上的居民，他们吃的却是从树
shang zhāi xià lái de
上摘下来的
miàn bāo zhè zhǒng
“面包”。这种
shù jiào miàn bāo shù miàn
树叫面包树。面
bāo shù shang de guǒ shí
包树上的果实，
jiào zuò miàn bāo guǒ miàn
叫做面包果。面
bāo guǒ shì dāng dì jū
包果是当地居
mín bù kě quē shǎo de
民不可缺少的

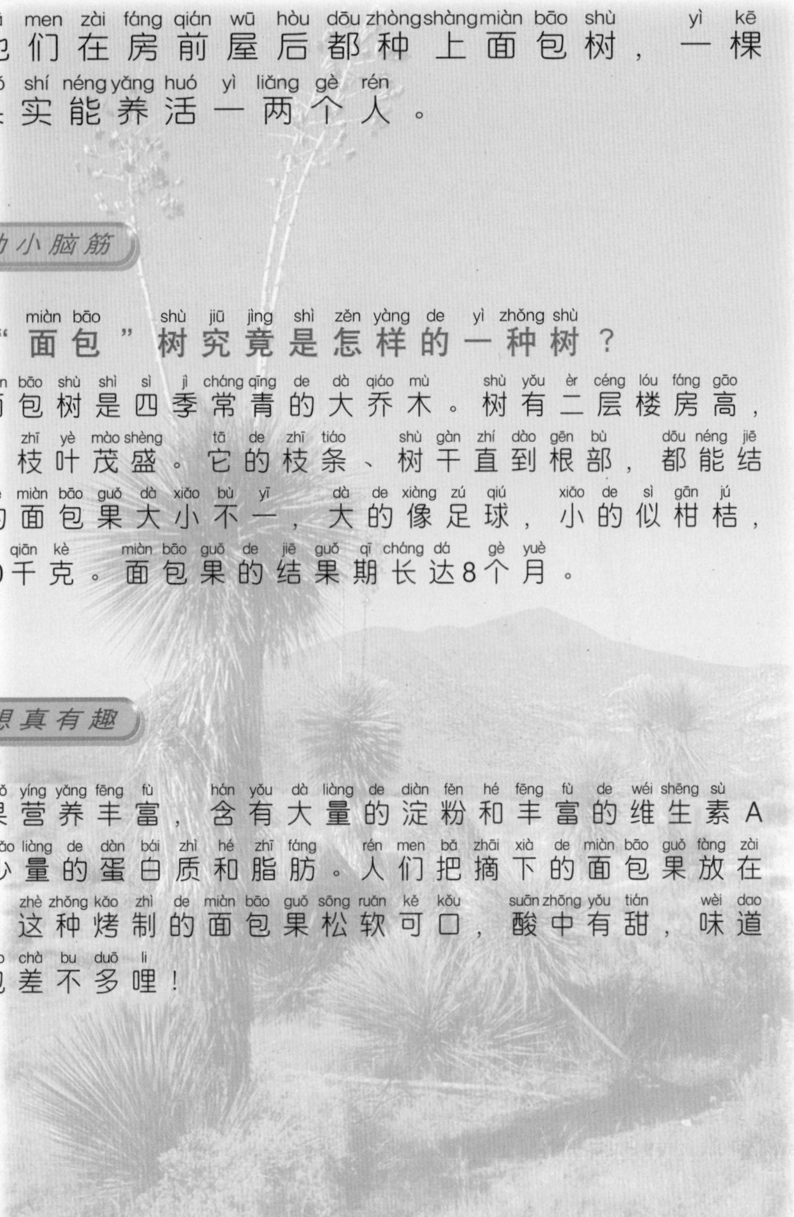

liáng shi tā men zài fáng qián wū hòu dōu zhòng shàng miàn bāo shù yì kē
粮食。他们在房前屋后都种上面包树，一棵
shù jiē de guǒ shí néng yǎng huó yì liǎng gè rén
树结的果实能养活一两个人。

动动小脑筋

wèn miàn bāo shù jiū jìng shì zěn yàng de yì zhǒng shù
问：“面包”树究竟是怎样的一种树？

dá miàn bāo shù shì sì jì cháng qīng de dà qiáo mù shù yǒu èr céng lóu fáng gāo
答：面包树是四季常青的大乔木。树有二层楼房高，
shù gàn cū zhuàng zhī yè mào shèng tā de zhī tiáo shù gàn zhí dào gēn bù dōu néng jiē
树干粗壮，枝叶茂盛。它的枝条、树干直到根部，都能结
guǒ jiē chū de miàn bāo guǒ dà xiǎo bù yī dà de xiàng zú qiú xiǎo de sì gān jú
果。结出的面包果大小不一，大的像足球，小的似柑桔，
zuì zhòng de yǒu qiān kè miàn bāo guǒ de jiē guǒ qī cháng dá gè yuè
最重的有20千克。面包果的结果期长达8个月。

想想真有趣

miàn bāo guǒ yíng yǎng fēng fù hán yǒu dà liàng de diàn fěn hé fēng fù de wéi shēng sù
面包果营养丰富，含有大量的淀粉和丰富的维生素A
hé hái yǒu shǎo liàng de dàn bái zhì hé zhī fáng rén men bǎ zhāi xià de miàn bāo guǒ fàng zài
和B，还有少量的蛋白质和脂肪。人们把摘下的面包果放在
huǒ shàng hōng kǎo zhè zhǒng kǎo zhì de miàn bāo guǒ sōng ruǎn kě kǒu suān zhōng yǒu tián wèi dao
火上烘烤，这种烤制的面包果松软可口，酸中有甜，味道
hái zhēn hé miàn bāo chà bu duō li
还真和面包差不多哩！

光棍树为什么不长叶子？

guāng gùn shù bù zhǎng yè shì wèi le tóng gān hàn
光棍树不长叶是为了同干旱
de shā mò qì hòu zuò dòu zhēng rú guǒ yè
的沙漠气候作斗争，如果叶
mào jiù huì zēng dà zhēng téng zuò
茂，就会增大蒸腾作
yòng yīn cǐ guāng gùn
用，因此，光棍
shù yǐ lǜ sè de
树以绿色的
jīng yǔ zhī tiáo
茎与枝条
dài tì yè zi
代替叶子
jìn xíng guāng hé
进行光合
zuò yòng zhè
作用，这
yàng yè zi
样叶子
jiù màn màn
就慢慢

退化了。另外，没有叶的光棍树，还可以使那些吃叶的动物不去碰它，以免受到侵害。

动动小脑筋

问：为什么说光棍树是“石油植物”？

答：光棍树的枝条里含有乳白色的乳汁。汁有毒，碰着它，会使皮肤红肿。根据植物学家分析，它的乳汁里含有丰富的碳氢化合物，可以提取做燃料，因此光棍树又被称为“石油植物”。

想想真有趣

在植物世界里，有一种最孤单的草叫独叶草。它只有一片叶子，只开一朵花，真是“独花独叶一根草”。它生长在海拔3000米左右的原始森林中。独叶草是1914年在云南的高山上被科学家发现的。

梓柯树为什么能防火？

在非洲安哥拉有一种梓柯树，高约20米，树叶繁茂，四季常绿，人们称之为灭火树。在梓柯树浓密的树杈间，有许多像馒头大的节苞，节苞上密布着网眼小孔，苞里装满液汁。节苞一旦遇到阳光或火光照射，液汁就从网眼小孔

里喷出。由于它的液汁中含有四氯化碳，火焰碰上，很快便熄灭了。

想想真有趣

生长在我国新疆天山地区的白鲜能“放火”或者叫“自焚”。白鲜的叶子里含有丰富的“醚”。“醚”的燃点很低，当白鲜的果实成熟时，“醚”的含量也几乎达到了饱和程度。晴天受到强烈阳光的直射，会使“醚”燃烧，白鲜也就“自焚”成灰烬了。

动动小脑筋

问：你知道还有什么植物可防止森林火灾？

答：还有常青藤、迷迭香，它们在接触火源后不会燃烧，只是表面发焦，能阻止火的蔓延。人们多种这些植物，可以形成防火林带。

松树为什么能长在石缝中？

wǒ men cháng cháng kàn dào sōng shù zhǎng zài xiǎn jùn gāo sǒng de shí fèng zhī
我们常常看到松树长在险峻高耸的石缝之
zhōng sōng shù wèi shén me néng zài shí fèng zhōng shēng zhǎng
中。松树为什么能在石缝中生长
ne zhè shì yīn wei
呢？这是因为
sōng shù de yè zi
松树的叶子
xiàng zhēn yì bān
像针一般，
kě yǐ jiǎn shǎo shuǐ
可以减少水
fèn zhēng fā nài
分蒸发，耐
gān hàn tā de
干旱；它的
gēn néng fēn mì chū
根能分泌出
suān xìng yè tǐ
酸性液体，
shǐ yán shí róng jiě
使岩石溶解
ér biàn chéng fěn zhuàng
而变成粉状

tǔ rǎng yǐ biàn yú tā jiāng gēn shēn shēn zhā rù shí fèng zhī zhōng tā de
土壤，以便于它将根深深扎入石缝之中；它的
pí hěn hòu bú pà fēng yǔ hé hán lěng
皮很厚，不怕风雨和寒冷。

动动小脑筋

wèn nǐ zhī dào shén me shì měi rén sōng ma
问：你知道什么是美人松吗？

dá cháng bái sōng gāo mǐ sǒng lì zài cháng bái shān zhōng shù gàn gāo
答：长白松，高20～30米，耸立在长白山中。树干高
dà tǐng bá bǐ zhí zhī gàn de shàng bù shì jīn huáng sè xià bù shì zōng huáng sè
大、挺拔、笔直。枝干的上部是金黄色，下部是棕黄色。
zài qiān lǐ bīng fēng wàn lǐ xuě piāo de yán dōng yìng chèn zhe ái ái bái xuě fèn wài yāo
在千里冰封、万里雪飘的严冬，映衬着皑皑白雪，分外妖
ráo suǒ yǐ rén men gěi tā qǐ le gè dòng tīng de míng zi měi rén sōng
娆。所以人们给他起了个动听的名字——美人松。

想想真有趣

lǚ yóu shèng dì huáng shān de qí jǐng zhī yī shì huáng shān sōng huáng shān sōng xuán jié wēi yá
旅游胜地黄山的奇景之一是黄山松。黄山松悬结危崖，
qí xíng guài zhuàng qiān zī bǎi tài tè bié shì yù píng lóu dōng de yíng kè sōng pò shí
奇形怪状，千姿百态。特别是玉屏楼东的“迎客松”破石
ér chū zhī gàn tǐng jìn cháng zhī jūn shēn xiàng yí miàn jiù xiàng hào kè de zhǔ rén yíng jiē
而出，枝干挺劲。长枝均伸向一面，就像好客的主人迎接
sì fāng lái kè yí yàng qù huáng shān yí dìng yào xīn shǎng yōu měi qí jué de huáng shān sōng
四方来客一样。去黄山，一定要欣赏优美奇崛的黄山松。

蚬木为什么坚硬如钢？

wǒ guó guǎng xī yún nán de shēn shān mì lín zhōng shēngzhǎng zhe xiǎn mù
我国广西、云南的深山密林中，生长着蚬木
shù yóu yú tā héng duàn miànshang de nián lún yì biān kuān yì biān zhǎi xíng
树。由于它横断面上的年轮一边宽一边窄，形
zhuàng kù sì xiǎn ké shang de wén lǐ suǒ
状酷似蚬壳上的纹理，所
yǐ chēng wéi
以称为

“蚬木”。这种树木非常坚硬，入水即沉。因此叫它“钢铁之木”。蚬木之所以这样坚硬，是因为它生长缓慢，纹理致密，根深深地扎在岩缝中，木材中吸取了许多钙质矿物。蚬木的木材色泽红润、不弯曲、不开裂、耐水耐腐，是高级的优质木材。

动动小脑筋

问：蚬木很重，那么什么树最轻呢？

答：世界上最轻的树叫轻木，因为它的树干中藏着很多空气，如果剥开树皮用手指按一下，木材上就会留下一个手指的凹印。

想想真有趣

在俄罗斯有一种刺橡木，比蚬木更重、更硬，有人曾经把刺橡木做成靶子，用枪对它射击，结果子弹都被弹了回来了。

为什么把海枣树称作“赐福树”？

海枣1千克能产热量6000卡，够一个成人一天所需的热量。一棵成年的海枣树，一年可产蜜枣100～200千克。海枣树的树干里，含有丰富的糖汁，割开树皮，便流出糖汁。

从一棵海枣树中每天能吸取3千克糖汁，可连续收获三个月。海枣树给人们带来了幸福，人们把它称为“赐福树”。

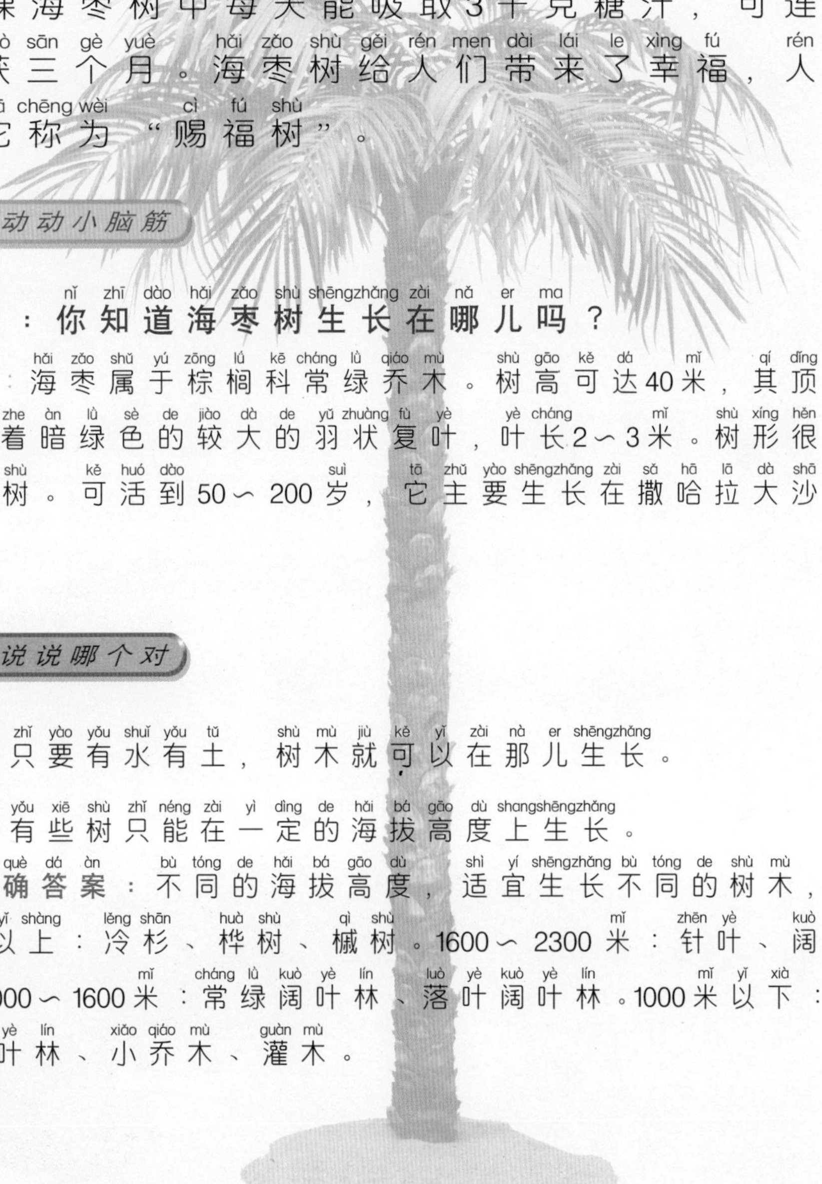

动动小脑筋

问：你知道海枣树生长在哪儿吗？

答：海枣属于棕榈科常绿乔木。树高可达40米，其顶端丛生着暗绿色的较大的羽状复叶，叶长2～3米。树形很像椰子树。可活到50～200岁，它主要生长在撒哈拉大沙漠里。

说说哪个对

只要有水有土，树木就可以在那儿生长。

有些树只能在一定的海拔高度上生长。

正确答案：不同的海拔高度，适宜生长不同的树木，2300米以上：冷杉、桦树、槭树。1600～2300米：针叶、阔叶林。1000～1600米：常绿阔叶林、落叶阔叶林。1000米以下：青栲阔叶林、小乔木、灌木。

有的老树为什么空心？

yǒu de lǎo shù xīn kōng le dàn réng rán zhǎng zhe zhī yè lǎo shù kōng
有的老树心空了，但仍然长着枝叶。老树空
xīn de yuán yīn shì yóu yú shù gàn shang yǒu le shāng bā huò
心的原因是由于树干上有了伤疤或
liè féng yì zhǒng zhēn jūn
裂缝，一种真菌
biàn chèn jī zuān jìn liè
便趁机钻进裂
fèng huò shāng bā li
缝或伤疤里
qù zài shù xīn
去，在树心
li fán zhí
里繁殖，
chī shù xīn
吃树心
de yǎng liào
的养料，
rì jiǔ tiān cháng
日久天长，
shù xīn biàn bèi chī
树心便被吃
kōng le dàn yóu yú shù
空了。但由于树

pí hái yǒu wán quán kū liè hái néng cóng gēn bù shū sòng yíng yǎng suǒ yǐ
皮还有完全枯裂，还能从根部输送营养，所以
néng zhǎng chū zhī yè lái
能长出枝叶来。

动动小脑筋

wèn shù mù de shòu mìng yǒu duō cháng
问：树木的寿命有多长？

dá shù mù de shòu mìng yào yuǎn yuǎn chāo guò rén lèi de shòu mìng yǒu de shù shèn zhì
答：树木的寿命要远远超过人类的寿命，有的树甚至
néng huó shù qiān nián tái wān shěng ā lǐ shān de shén mù yǐ huó le duō nián shēng zhǎng
能活数千年。台湾省阿里山的神木已活了3000多年，生长
zài běi měi zhōu de yì kē shì jiè yé yǐ yǒu nián de shù líng le
在北美洲的一棵世界爷已有4600年的树龄了。

说说哪个对

luò yè shù dào dōng tiān luò guāng shù yè kěn dìng duì shù de shēn tǐ yǒu hài
落叶树到冬天落光树叶，肯定对树的身体有害。

méi yǒu yè zi jiù gèng néng zhì zào yíng yǎng wù zhì
没有叶子就更能制造营养物质。

zhèng què dá àn dōng tiān qì hòu gān zào yè zi zhǎng zài shù shang huì zhēng fā diào
正确答案：冬天气候干燥，叶子长在树上会蒸发掉
xǔ duō shuǐ fèn luò yè shù zài qiū tiān luò yè shǐ zhí wù zài dōng jì réng yǒu zú gòu
许多水分。落叶树在秋天落叶，使植物在冬季仍有足够
de shuǐ fèn
的水分。

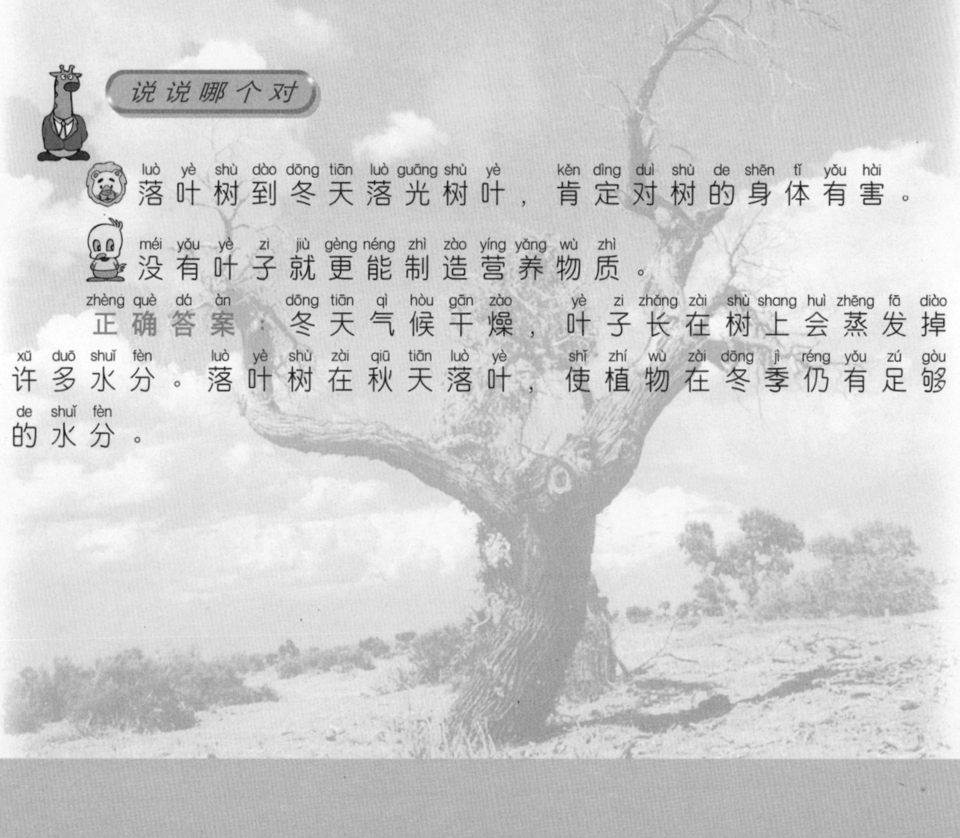

你见过“打不死”吗？

“打不死”是一种奇特的草。它的主干有大拇指粗，质地厚实，上面长着秆状嫩叶。它身如翡翠绿，花如玛瑙红。它那鲜绿的叶间，星星点点开放着花儿。“打不死”有着极强的生命力，它不怕严寒、高温、风吹、雨打、曝晒，

纵然把它撕成碎片用脚踩烂，它照样能活下去。它的碎屑只要落地，就能长出芝麻大的嫩芽，所以也叫“落地生根”。

动动小脑筋

问：你知道“打不死”有什么用途吗？

答：“打不死”生长在我国云南西双版纳的丛林里。全身都可入药，对治疗筋骨损伤有特效，因此又叫做“接骨丹”。

想想真有趣

植物世界里，有许多树木都有独特的作用，人们利用这些特征来为人类服务。例如：漆树的树干里，有很多像牛奶一样的树汁，用这种树汁就可以制成各种各样的油漆。所以说树木是人类的好朋友。

荷花为何能出污泥而不染？

zài rén men xīn zhōng hé huā shì gāo shàng chún jié de xiàng zhēng nà me
在人们心中，荷花是高尚纯洁的象征。那么

hé huā hé yè wèi shén me néng chū wū ní ér bù rǎn ne yuán
荷花、荷叶为什么能“出污泥而不染”呢？原

lái tā men de wài biǎo céng bù mǎn le là zhì ér qiě yǒu xǔ duō rǔ
来，它们的外表层布满了蜡质，而且有许多乳

tou zhuàng de tū qǐ tū qǐ zhī jiān chōng mǎn zhe
头状的突起，突起之间充满着

kōng qì dǎng zhe wū ní
空气，挡着污泥

zhuó shuǐ de shèn rù
浊水的渗入。

dāng tā men de yè
当它们的叶

yá hé huā yá
芽和花芽

cóng wū ní
从污泥

zhōngchōu chū shí yóu yú biǎo céng là zhì de bǎo hù wū ní zhuó shuǐ
中抽出时，由于表层蜡质的保护，污泥浊水
hěn nán zhān fù shàng qù jí shǐ yǒu shǎo liàng de wū ní zhān fù zài yè yá
很难沾附上去，即使有少量的污泥沾附在叶芽
huò huā yá shang yě bèi dàng dòng de shuǐ bō chōng xǐ gān jìng le
或花芽上，也被荡动的水波冲洗干净了。

说说哪个对

hé huā de yòng tú shì gōng rén men xīn shǎng
荷花的用途是供人们欣赏。

hé huā de zuò yòng kě dà de hěn ne
荷花的作用可大得很呢。

zhèng què dá àn hé huā hún shēn shì bǎo lián zǐ shì yì zhǒng zī bǔ pǐn ǒu shì
正确答案：荷花浑身是宝：莲子是一种滋补品；藕是
yíng yǎng fēng fù de shū cài hé yè qīng xiāng yí rén shì zuò tè sè shí pǐn de fǔ liào tā
营养丰富的蔬菜；荷叶清香宜人是做特色食品的辅料，它
hái kě yǐ rù yào kě zhì liáo gāo xuè yā děng xǔ duō jí bìng
还可以入药，可治疗高血压等许多疾病。

想想真有趣

hé huā shì wǒ guó shí dà míng huā zhī yī xià tiān zài wǒ guó nán fāng de xǔ duō
荷花是我国十大名花之一，夏天，在我国南方的许多
hú bó zhōng shēngzhǎng zhe yí wàng wú jì de hé huā nà bì yù pán shì de hé yè nà
湖泊中，生长着一望无际的荷花。那碧玉盘似的荷叶，那
tíng tíng yù lì de hé huā shǐ rén shēng chū jiē tiān lián yè wú qióng bì yìng rì hé huā
亭亭玉立的荷花，使人生出“接天莲叶无穷碧，映日荷花
bié yàng hóng de kǎi tàn
别样红”的慨叹！

雪莲为什么不畏冰雪高寒？

雪莲生长在海拔4500～5000米以上的乱石滩上。雪莲的植株矮而茎短粗，叶子贴地生出，上面还长满了白色的绒毛，可以防寒、抗风和防止紫外线的照射。雪莲的根十分发达，能有效地插入石缝中吸取水分和养料。每年7月，

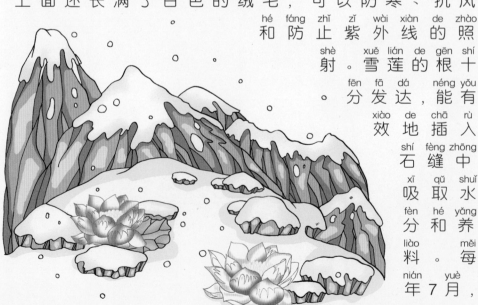

雪莲还开出大而艳丽的花朵。它的花冠外面长着数层膜质苞叶，用来防寒、保持水分和反射紫外线的照射。

动动小脑筋

问：你知道雪莲有什么不同的种类吗？

答：在我国终年积雪的西北天山和西藏的墨脱一带，长着高山雪莲，雪莲有不同的种类：有像洋白菜的苞叶雪莲，有杆株俯地的三指雪莲。每当天气晴朗，阳光灿烂时，雪莲尽情舒展着自己的叶片和苞叶，给雪地高原带来一片生机。

想想真有趣

我们知道，水到零度时会结冰，可雪莲身体内的水分为什么不会结冰呢？原来，雪莲的汁液中含有很多糖分，这种汁液特别能抗冻，即使在零下的气温中也不容易结成冰。

仙人掌为什么能在沙漠里生长？

仙人掌是仙人掌科植物的统称。它有2000多个种类，有掌形、球形、柱形等多种形态。仙人掌常生长在干旱的环境中。仙人掌为了适应干旱的环境，叶子退化成针状，以减少水分蒸发；茎却肥

hòu duō zhī biǎo pí hái yǒu hòu ér yìng de là zhì bǎo hù shǐ tā bú
厚多汁，表皮还有厚而硬的蜡质保护，使它不
shòu qiáng guāng de zhào shè xiān rén zhǎng hái yǒu páng dà de gēn xì fēn zhī
受强光的照射；仙人掌还有庞大的根系分支，
kě yǐ shè qǔ dì xià gèng duō de shuǐ fèn
可以摄取地下更多的水分。

说说哪个对

rú guǒ bù jiāo shuǐ xiān rén zhǎng zuì duō néng huó gè yuè
如果不浇水，仙人掌最多能活1个月。

bù qǐ mǎ gè yuè
不！起码2个月。

zhèng què dá àn yǒu rén zuò guò shí yàn nián bù gěi xiān rén zhǎng jiāo shuǐ tā hái
正确答案：有人做过实验：6年不给仙人掌浇水，它还
zài wán qiáng de huó zhe suǒ yǐ tā néng zài gān hàn shā mò li shēng zhǎng fán yǎn bù xī
在顽强地活着。所以它能在干旱沙漠里生长，繁衍不息。
jù shuō yǒu xiē dà xiān rén zhǎng de shòu mìng kě dá shù bǎi nián ne
据说有些大仙人掌的寿命可达数百年呢！

想想真有趣

xiān rén zhǎng hún shēn zhǎng mǎn le yòu yìng yòu jiān de cì nǐ zhī dào ma zhè jiù shì
仙人掌浑身长满了又硬又尖的刺，你知道吗？这就是
tā de zì wèi wǔ qì yè zi shā mò dì dài qì hòu yán rè yǔ shuǐ xī shǎo
它的自卫武器——叶子。沙漠地带气候炎热、雨水稀少，
wèi le jiǎn shǎo shuǐ fèn de zhēng fā yè zi jiù màn màn tuì huà chéng zhēn zhuàng cǐ wài tā
为了减少水分的蒸发，叶子就慢慢退化成针状。此外，它
fēng lì de cì yě ràng nà xiē chī zhí wù de dòng wù wàng ér què bù
锋利的刺也让那些吃植物的动物望而却步。

夜来香为什么在晚上放香？

夜来香是靠夜间活动的飞蛾来传粉的。它用夜间散发出来的强烈香气，引诱飞蛾来为它传送花粉。其次，夜来香花瓣的构造与其它花不同。它那花瓣上的气孔，可以随着空气中湿度增大而张得更大。夜间没有太

阳，空气中湿度增大，于是夜来香花瓣上的气孔就张大起来，花瓣里面的挥发油就能大量挥发出来，因此放出的香气就特别浓。

想想真有趣

许多花都是在白天开放，并放出香气的。常言道：“花不晒不香。”，花经太阳一晒，花瓣里的挥发油温度增高，就容易挥发出来，闻起来就特别香。所以花一般都是在白天放香。

动动小脑筋

问：为什么有些植物的花既难看，又没有香气？

答：这些植物的花粉传播，不需要昆虫的帮助，而是依靠风来完成的，因为风也能把一株植物的花粉吹到另一株植物的花朵上。

有些植物的花为什么长在叶子上？

yǒu xiē zhí wù de huā kāi zài yè shang, rú qīng jiā yè、bǎi bù děng。
有些植物的花开在叶上，如青夹叶、百部等。
qí shí, tā men de huā bǐng shì tóng yè mài jǐn tiē zài yì qǐ de, tā
其实，它们的花柄是同叶脉紧贴在一起的，它
men suī rán shì zài yè shang kāi huā,
们虽然是在叶上开花，

dàn bìng bú shì cóng yè shang fēn huà chū lái de tā men de zhēnzhèng chū chù
但并不是从叶上分化出来的，它们的真正出处
réng zài jīng shang yóu yú tā men de huā xiǎo bù xiān yàn rú guǒ shēng
仍在茎上。由于它们的花小，不鲜艳，如果生
zài bù xiǎn yǎn de dì fang jiù bú lì yú xī yǐn kūn chóng lái chuán fěn
在不显眼的地方，就不利于吸引昆虫来传粉；
huā kāi zài yè shang kōng jiān kāi kuò yì bèi kūn chóng fā xiàn
花开在叶上，空间开阔，易被昆虫发现。

想想真有趣

zhí wù xué jiā fā xiàn zài shǒu zhǐ jiǎ zhè me dà de yí piàn tián cài yè zhōng rú
植物学家发现，在手指甲这么大的一片甜菜叶中，如
guǒ bǎ lǐ miàn de yè mài quán bù lián qǐ lái zú zú yǒu suì xiǎo péng you de shēn gāo nà me
果把里面的叶脉全部连起来，足足有5岁小朋友的身高那么
cháng ne
长呢！

动动小脑筋

wèn chú le zhī chēng hé yùn shū zuò yòng yè mài hái yǒu shén me yòng
问：除了支撑和运输作用，叶脉还有什么用
chù
处？

dá ná qǐ yì zhāng yè piàn duì zhe liàng guāng jiù huì kàn dào xǔ xǔ duō duō de
答：拿起一张叶片对着亮光，就会看到许许多多的
jīn mì mì má má de fēn bù zài yè piàn nèi zhè zhǒng jīn zhēn zhèng de míng zi
“筋”，密密麻麻地分布在叶片内，这种“筋”真正的名字
jiào yè mài bù tóng de zhí wù yǒu bù tóng de yè mài jiù xiàng rén de zhǐ wén nà yàng yǒu
叫叶脉。不同的植物有不同的叶脉，就像人的指纹那样有
qiān qiān wàn wàn zhǒng tā dài biǎo zhí wù de yì zhǒng tè zhēng suǒ yǐ tōng guò yè mài néng
千千万万种，它代表植物的一种特征。所以，通过叶脉能
bāng zhù wǒ men jiàn dìng zhí wù de zhǒng lèi
帮助我们鉴定植物的种类。

花的香味是怎样产生的？

huā de xiāng wèi lái zì huā bàn nèi de yóu xì bāo yǒu xiē huā zhōng de
花的香味来自花瓣内的油细胞。有些花中的
yóu xì bāo kě yǐ fēn mì chū fāng xiāng yóu jīng guò huī fā jiù huì jiāng
油细胞可以分泌出芳香油。经过挥发，就会将
xiāng wèi kuò sàn dào kōngzhōng zhè jiù shì huā sàn fā chū lái de xiāng wèi
香味扩散到空中，这就是花散发出来的香味。
yángguāng yuè hǎo fāng xiāng yóu
阳光越好，芳香油

jiù huī fā de yuè duō yuè kuài xiāng wèi yě jiù yuè nóng yǐn qǐ xiāng wèi
就挥发得越多越快，香味也就越浓。引起香味
de lìng yí lèi wù zhì shì pèi táng tǐ tā běn shēn suī rán méi yǒu xiāng
的另一类物质是配糖体，它本身虽然没有香
wèi dàn tā bèi fēn jiě hòu yě kě sàn fā chū xiāng wèi lái
味，但它被分解后也可散发出香味来。

想想真有趣

yóu yú gè zhǒng huā fēn mì de fāng xiāng yóu huò pèi táng tǐ de néng lì bù tóng qí huā
由于各种花分泌的芳香油或配糖体的能力不同，其花
xiāng de nóng dàn yě yǒu bié lìng wài yì bān lái shuō huā sè yù qiǎn xiāng wèi yù duō
香的浓淡也有别。另外，一般来说，花色愈浅，香味愈多，
xiāng wèi jiào nóng yán sè yù shēn xiāng wèi yù shǎo xiāng wèi jiào dàn zǒng de lái shuō
香味较浓；颜色愈深，香味愈少，香味较淡。总的来说，
bái sè huā xiāng wèi duō ér nóng hóng sè huā de xiāng wèi zhàn lán sè huā jǐn zhàn
白色花香味多而浓；红色花的香味占17%；蓝色花仅占9%。

动动小脑筋

wèn huā xiāng duì rén tǐ yǒu shén me yī liáo zuò yòng
问：花香对人体有什么医疗作用？

dá ràng huàn zhě xiù jú huā ān yè báo hé děng huā huì de xiāng jīng kě zhì
答：让患者嗅菊花、桉叶、薄荷等花卉的香精，可治
liáo tóu tòng tóu yūn shì shuì děng bìng cháng wén mò lì huā kě jiǎn qīng shǔ rè tóu tòng de
疗头痛、头晕、嗜睡等病；常闻茉莉花可减轻暑热头痛的
zhèngzhuàng dīng xiāng huā xiāng duì yá tòng bìng rén yǒu ān jìng zhǐ tòng zuò yòng guì huā de xiāng qì
症状；丁香花香对牙痛病人有安静止痛作用；桂花的香气
néng kàng jūn xiāo yán zhǐ ké píng chuǎn zài shuǐ zhōng jiā rù bǎi hé chá huā méi
能抗菌、消炎、止咳、平喘；在水中加入百合、茶花、玫
guī de xiāng jīng kě fáng zhì duō zhǒng pí fū bìng fēng shī tòng děng
瑰的香精，可防治多种皮肤病、风湿痛等。

玉兰花为什么先开花后长叶？

yù lán huā de huā yá yǔ yè bāo kuò zhī yá shì fēn kāi de
玉兰花的花芽与叶（包括枝）芽是分开的。
huā yá dà shēngzhǎng zài zhī dǐng zài dī wēn xià jí kě kāi huā yīn
花芽大，生长在枝顶，在低温下即可开花，因
cǐ zài tóu nián de dōng jì jiù kě yǐ zài zhī tou kàn jiàn tā
此在头年的冬季就可以在枝头看见它。
děng dào chūn tiān qì wēn shāo shāo nuǎn huo shí tā jiù kāi fàng le
等到春天气温稍稍暖和时，它就开放了。
ér yè yá xū yào jiào
而叶芽需要较

高的气温才能长出叶片，因为叶芽的生长比花芽迟缓。所以开花之后才长叶。

动动小脑筋

问：你知道花儿开放的时间吗？

答：各种花卉一年当中只在一定的季节开放，例如，冬末春初有梅花，春季有连翘，夏季有荷花，秋季有菊花、桂花，冬季有一品红等。如果再细心观察，许多花在一天之内开放的时间也是一定的，例如，牵牛花在清晨开放；半枝莲在正午开放；紫茉莉花在傍晚17点左右开放，月见草、待霄草等完全在夜间开放。

想想真有趣

早在18世纪，瑞典的植物学家林奈利用花卉开放的规律，按它们一天闭合开放的时间不同，将它们种植在一个大花坛上，造成一座有趣的“花钟”。花朵在一定的时间开放，是由于花朵的开闭与光照的强弱有关。

削皮后苹果为什么会变色？

yǒu shí wǒ men yòng xiāo hǎo pí de píng guǒ zhāo dài kè rén kě shì
有时，我们用削好皮的苹果招待客人，可是
hái méi děng kè rén chī shí jiù biàn sè le yuán lái xiān liàng jié bái de píng
还没等客人吃时就变色了。原来鲜亮洁白的苹
guǒ ròu biàn chéng le chén jiù de qiǎn kā fēi sè shí jiān zài cháng
果肉变成了“陈旧”的浅咖啡色，时间再长，
jìng biàn chéng le hēi hè sè shǐ rén bù yuàn zài shí yòng yuán lái píng
竟变成了黑褐色，使人不愿再食用。原来，苹
guǒ ròu li hán yǒu yì zhǒng jiào róu suān de yǒu jī wù zhì yòng xiǎo dāo xiāo
果肉里含有一种叫鞣酸的有机物质。用小刀削
pí shí xiǎo dāo jiē chù píng guǒ píng guǒ ròu li de róu suān jiù hé dāo
皮时，小刀接触苹果，苹果肉里的鞣酸就和刀

刃的铁质发生化学反应，生成一种黑色的鞣酸铁覆盖在苹果肉表面。除了鞣酸以外，苹果里还含有一种氧化酶。当苹果削去表皮后，空气遇到果肉，在氧化酶的催化下果肉中的有机质便被氧化、变色，所以也使削去皮的苹果改变颜色。

想想真有趣

变色的苹果肉不影响食用，少量的鞣酸铁对人的健康也没有损害。只是果肉里的鞣酸很难溶于水，如果沾染在毛巾或手帕上就很难洗去。所以，吃苹果后，不要用毛巾或手帕来揩拭。

动动小脑筋

问：苹果削皮后再吃好吗？

答：苹果皮里含有丰富的营养，削掉是很可惜的。不过，有些苹果在生长过程中喷了农药，使皮上残存着不少农药的成分，这种苹果还是削皮后再吃为好。

无籽西瓜是怎样培育出来的？

植物的细胞染色体有三种类型：单倍体、二倍体、三倍体。单倍体只有花粉和卵细胞才有。细胞是二倍体的植物，可传宗接代，有种子长出。细胞是三倍体的就不会结种子。专家们用科技手段，对西瓜细胞里的染色

tǐ jìn xíng gǎi zào， péi yù chū sì bèi tǐ xī guā， zài bǎ tā hé pǔ
体进行改造，培育出四倍体西瓜，再把它和普
tōng èr bèi tǐ xī guā zá jiāo， huò dé sān bèi tǐ xī guā zhǒng zi， yòng
通二倍体西瓜杂交，获得三倍体西瓜种子，用
zhè zhǒng zhǒng zi， jiù zhǎng chū le wú zǐ xī guā。
这种种子，就长出了无籽西瓜。

动动小脑筋

wèn： shén me shì dān xìng jiē shí de guǒ shí？
问：什么是单性结实的果实？

dá： xiāng jiāo、 bō luó、 wú hé jú、 wú zǐ pú táo děng shuǐ guǒ méi yǒu zhǒng zi。
答：香蕉、菠萝、无核桔、无籽葡萄等水果没有种子。
tā men zhī suǒ yǐ wú hé， duō shù shì zài xì tǒng fā yù guò chéng zhōng， fā shēng yì biàn hòu，
它们之所以无核，多数是在系统发育过程中，发生异变后，
qí wú zǐ tè zhēng bèi rén men bǎo cún xià lái ér dài dài xiāng chuán。 zhè lèi bù jīng shòu fěn shòu
其无籽特征被人们保存下来而代代相传。这类不经授粉受
jīng zuò yòng， zǐ fáng néng zì xíng péng dà， xíng chéng guǒ shí de， jiào dān xìng jiē shí de guǒ shí。
精作用，子房能自行膨大，形成果实的，叫单性结实的果实。

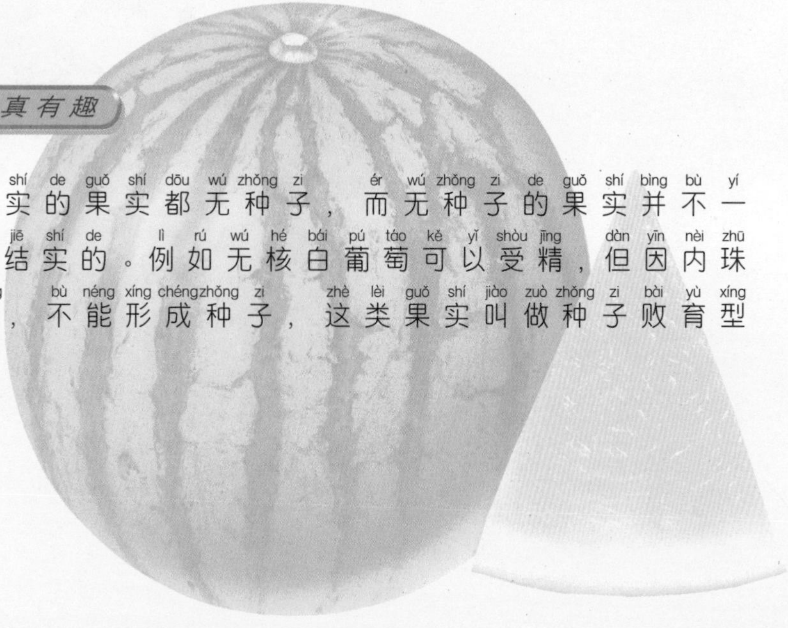

想想真有趣

dān xìng jiē shí de guǒ shí dōu wú zhǒng zi， ér wú zhǒng zi de guǒ shí bìng bù yí
单性结实的果实都无种子，而无种子的果实并不一
dìng dōu shì dān xìng jiē shí de。 lì rú wú hé bái pú táo kě yǐ shòu jīng， dàn yīn nèi zhū
定都是单性结实的。例如无核白葡萄可以受精，但因内珠
fā yù bú zhèng cháng， bù néng xíng chéng zhǒng zi， zhè lèi guǒ shí jiào zuò zhǒng zi bài yù xíng
发育不正常，不能形成种子，这类果实叫做种子败育型
wú hé guǒ。
无核果。

无花果真的没有花吗？

wú huā guǒ bìng bú shì bù kāi huā ér shì tā kāi de huā hěn xiǎo
无花果并不是不开花，而是它开的花很小，
rén de ròu yǎn bù yì
人的肉眼不易
kàn qīng chu yīn wèi
看清楚。因为
wú huā guǒ de huā shì
无花果的花是
kāi zài zǒng huā tuō lǐ
开在总花托里
miàn zhǐ yào cǎi yì
面。只要采一
zhī wú huā guǒ de guǒ
只无花果的果
shí bǎ tā qiē kāi
实，把它切开，
yòng xiǎn wēi jìng zǐ xì guān
用显微镜仔细观
chá jiù huì kàn dào lǐ
察，就会看到里
miàn yǒu hěn duō xiǎo tū
面有很多小凸
qǐ zhè xiē xiǎo tū qǐ
起，这些小凸起

jiù shì wú huā guǒ de huā zhè zhǒng huā zhí wù xué shang jiào yǐn tóu huā
就是无花果的花。这种花植物学上叫“隐头花
xù wú huā guǒ de huā cí xióng fēn kāi shēngzhǎng tā yǐn cáng zài
序”。无花果的花，雌雄分开生长，它隐藏在
zǒng huā tuō li
总花托里。

动动小脑筋

wèn shén me shì guǒ shù dǐng duān yōu shì
问：什么是果树顶端优势？

dá jù yǒu dǐng duān yōu shì bú shì guǒ shù suǒ dú yǒu de yì bān zhí wù dōu jù
答：具有顶端优势不是果树所独有的，一般植物都具
yǒu dǐng duān yōu shì guǒ shù zhī tiáo dǐng duān de yá méng fā hòu xíng chéng de zhǎng shì zuì qiáng
有顶端优势。果树枝条顶端的芽萌发后形成的长势最强，
shēngzhǎng liàng zuì dà xiàng xià yī cì méng fā de zhī zhú jiàn biàn ruò zhè zhǒng xiàn xiàngchēng wéi
生长量最大，向下依次萌发的枝逐渐变弱，这种现象称为
zhī de dǐng duān yōu shì yòu jiào xiān duān yōu shì shì jí xìng shēngzhǎng biǎo xiàn xíng shì zhī yī
枝的顶端优势，又叫先端优势，是极性生长表现形式之一。

想想真有趣

wú huā guǒ de huā yǐn cáng zài zǒng huā tuō li yóu yì zhǒng míng wéi xiǎo shān fēng de kūn
无花果的花隐藏在总花托里，由一种名为小山蜂的昆
chóngchuán fěn zhè zhǒng xiǎo kūn chóng ròu yǎn bú yì kàn qīng tā zài zǒng huā tuō lǐ miàn zuān
虫传粉。这种小昆虫，肉眼不易看清，它在总花托里面钻
lái zuān qù bǎ huā fěn dài dào cí huā shang shòu jīng jié guǒ
来钻去，把花粉带到雌花上，受精结果。

人体由多少细胞构成？

rén tǐ jiù xiàng yí dòng dà lóu xì bāo zé xiàng jiàn zhù cái liào zhuān hé
人体就像一栋大楼，细胞则像建筑材料砖和
shuǐ ní yóu xíng
水泥。由形
tài gōng néng xiāng
态、功能相
sì de xì bāo hé
似的细胞和
xì bāo jiān zhì gòu
细胞间质构
chéng rén tǐ zǔ
成人体组
zhī hǎo xiàng dà
织，好像大
lóu yòng zhuān hé shuǐ
楼用砖和水
ní qì chéng de
泥砌成的
qiáng duō miàn qiáng jiàn chéng yí
墙。多面墙建成一
gè gè fáng jiān duō zhǒng zǔ
个个房间，多种组
zhī gòu chéng le qì guān
织构成了器官——

nǎo xīn fèi wèi děng nà me jiàn zào zhè ge rén tǐ dà
脑、心、肺、胃等。那么，建造这个人体“大
lóu yòng le duō shǎo kuài zhuān ne kē xué jiā men cū lüè jì suàn
楼”用了多少块“砖”呢？科学家们粗略计算
le yí xià rén tǐ jìng yóu wàn yì gè xì bāo gòu chéng
了一下，人体竟由1800万亿个细胞构成！

动动小脑筋

wèn xì bāo yǒu shén me yòng chù
问：细胞有什么用处？

dá rén tǐ shì yí gè qí miào de xì tǒng gòu chéng rén tǐ de zhǒngzhǒng bù jiàn
答：人体是一个奇妙的系统，构成人体的种种部件。
suī rán xíng tài hé gōng néng gè bù xiāng tóng dàn shì tā men dōu shì yóu xì bāo gòu chéng de
虽然形态和功能各不相同，但是，它们都是由细胞构成的。
xì bāo shì rén tǐ jié gòu hé gōng néng de jī běn dān wèi
细胞是人体结构和功能的基本单位。

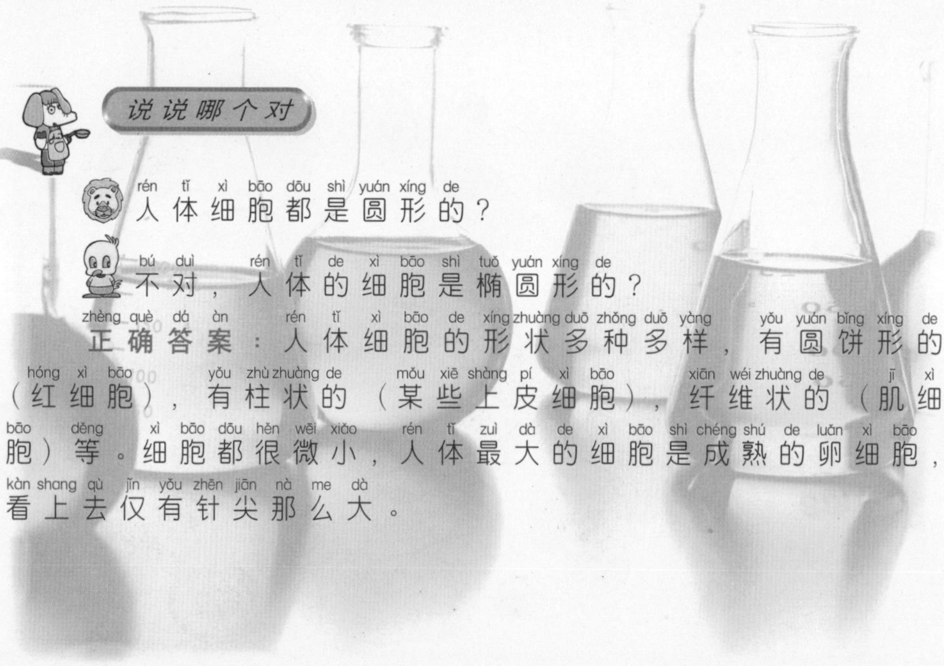

说说哪个对

rén tǐ xì bāo dōu shì yuán xíng de
人体细胞都是圆形的？

bú duì rén tǐ de xì bāo shì tuǒ yuán xíng de
不对，人体的细胞是椭圆形的？

zhèng què dá àn rén tǐ xì bāo de xíng zhuàng duō zhǒng duō yàng yǒu yuán bǐng xíng de
正确答案：人体细胞的形状多种多样，有圆饼形的
hóng xì bāo yǒu zhù zhuàng de mǒu xiē shàng pí xì bāo xiān wéi zhuàng de jī xì
（红细胞），有柱状的（某些上皮细胞），纤维状的（肌细
bāo děng xì bāo dōu hěn wēi xiǎo rén tǐ zuì dà de xì bāo shì chéng shú de luǎn xì bāo
胞）等。细胞都很微小，人体最大的细胞是成熟的卵细胞，
kàn shang qù jǐn yǒu zhēn jiān nà me dà
看上去仅有针尖那么大。

人体内最长的细胞有多长？

xì bāo yì bān dōu hěn xiǎo zhǐ yǒu zài xiǎn wēi jìng xià cái kàn qīng tā
细胞一般都很小，只有在显微镜下才看清它
men de miàn mào dàn shì yě yǒu hěn cháng de lì rú yǒu xiē zhuānguǎn yùn
们的面貌，但是也有很长的。例如有些专管运
dòng gōng néng de shén jīng yuán shén jīng xì bāo
动功能的神经元（神经细胞），
tā men de xì bāo
它们的细胞
tǐ wèi yú dà nǎo
体位于大脑
pí céng huò jǐ
皮层或脊
suǐ huī zhì zhōng
髓灰质中，
dàn tā men de
但它们的
tū qǐ mò duān
突起末端
què kě shēn dào hěn
却可伸到很
yuǎn de dì fang
远的地方，
yǒu de kě dá mǐ
有的可达1米

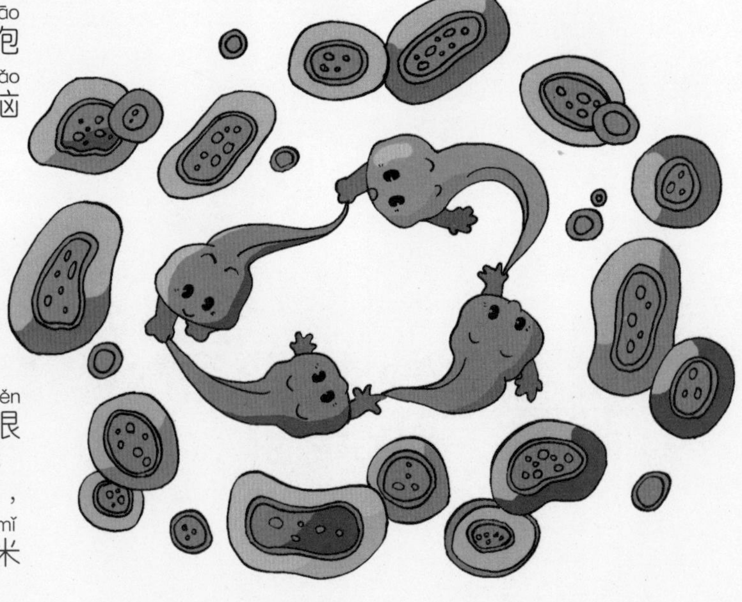

yǐ shàng　zhè ge tū qǐ mò duān jiào zhóu tū　shì chuán dì tōng dào　dà
以上。这个突起末端叫轴突，是传递通道，大
nǎo xià dá de zhǐ lìng　yán zhe zhè tiáo　tōng dào　zuì hòu dào dá jī
脑下达的指令，沿着这条“通道”最后到达肌
ròu　jī ròu jiù huì àn dà nǎo de yì tú yùn dòng le
肉，肌肉就会按大脑的意图运动了。

动动小脑筋

wèn　rén tǐ nèi zuì cháng de xì bāo shì shén me
问：人体内最长的细胞是什么？

dá　kē xué jiā yán jiū fā xiàn　zǔ chéng rén tǐ de xì bāo zài jié gòu hé gōng néng
答：科学家研究发现，组成人体的细胞在结构和功能
shang shì yí zhì de　dàn chōng dāng dà nǎo hé jī ròu zhī jiān cháng jù lí lián xì de shén jīng
上是一致的。但充当大脑和肌肉之间长距离联系的神经
yuán　què yǒu zhe tè dìng de jié gòu　tā jù yǒu hěn cháng de zhóu tū　shì rén tǐ zuì cháng
元，却有着特定的结构。它具有很长的轴突，是人体最长
de xì bāo
的细胞。

说说哪个对

xì bāo de xíng zhuàng dà xiǎo bù yí yàng　jié gòu yě bù xiāng tóng
细胞的形状大小不一样，结构也不相同。

xì bāo de jī běn jié gòu yīng gāi shì yí yàng de
细胞的基本结构应该是一样的。

zhèng què dá àn　jǐn guǎn gè zhǒng xì bāo xíng tài dà xiǎo shang cún zài hěn dà de chà
正确答案：尽管各种细胞形态大小上存在很大的差
bié　dàn jī běn jié gòu shì xiāng tóng de　xì bāo dōu shì yóu xì bāo mó　xì bāo zhì hé
别，但基本结构是相同的。细胞都是由细胞膜、细胞质和
xì bāo hé sān bù fen zǔ chéng de
细胞核三部分组成的。

骨骼为什么这么硬？

骨在结构上可分为皮质和髓质。骨髓质是造血的“工厂”。真正坚硬的是骨皮质。骨皮质的成分除脂肪和水外，还有有机物（骨胶质）和钙、镁、钠、磷等无机物。有机物使骨骼具有弹性

和韧性；骨内无机物中的钙、磷结合成羟基磷灰石，又使骨有了相当的硬度和坚固性。

说说哪个对

骨头只有支撑身体的作用。

骨头还能保护身体。

正确答案：骨头除了支撑身体和保护身体的作用外，还可以制造血液，因为有些骨头内部有红骨髓，那儿能产生大量的红血球和白血球。

动动小脑筋

问：肋骨有什么作用？

答：每个人有12对肋骨，整整齐齐排列在胸膛周围，它们的主要作用是保护体内的心脏、肝脏等重要器官。

人为什么长两只眼睛？

měi gè rén dōu yǒu liǎng zhī yǎn jing, zhǎng zài tóu lú zhōng xiàn de liǎng
每个人都有两只眼睛，长在头颅中线的两
cè。rú guǒ yòng yì zhī yǎn jing guān
侧。如果用一只眼睛观
kàn, zhǐ néng dé dào méi yǒu lì
看，只能得到没有立
tǐ gǎn de píng miàn tú。ér yòng
体感的平面图。而用
shuāng yǎn guān chá shì wù shí,
双眼观察事物时，
jiù huì fēn bié zài liǎng yǎn
就会分别在两眼
shì wǎng mó shang chéng xiàng,
视网膜上成像，
yóu yú liǎng zhī yǎn jing
由于两只眼睛
bú zài tóng yí gè wèi zhì
不在同一个位置
shang, jìn guǎn guān chá de
上，尽管观察的
tóng shì yí gè wù tǐ,
同是一个物体，
shì wǎng mó shang de liǎng gè
视网膜上的两个

像也有着差别（视差）。两个有视差的平面像，通过视神经传到大脑，经大脑分析、加工，就成了一个有立体感的物像了。

动动小脑筋

问：为什么有的人成了近视眼？

答：看书、写字时距离太近，而且时间很长，弄得眼睛很疲劳；有的人喜欢走路看书或躺着看书，还有的人在光线不足的地方看书，使眼部肌肉疲劳，眼球里面的晶体变了形，这样眼睛就会变成近视眼了。

想想真有趣

我们的手容易弄脏，要是用手揉眼睛，会把细菌带进眼里，容易引起种种眼病。如麦粒肿（又名偷针眼）、急性结膜炎（又名红眼病）、沙眼等。所以，我们一定要改掉用手揉眼睛的坏习惯。

人耳为什么能听到外界的声音？

kōng qì chuán dǎo shēng bō jīng ěr kuò shōu jí hòu, yóu wài ěr dào chuán zhì
空气传导声波经耳廓收集后，由外耳道传至
gǔ mó, jīng guò zhōng ěr de sān kuài tīng xiǎo gǔ zǔ chéng de tīng gǔ, shēng
鼓膜，经过中耳的三块听小骨组成的听骨，声
qiáng zēng jiā, zài chuán dào nèi ěr。
强增加，再传到内耳。

gǔ chuán dǎo jiù shì shēng bō zuò yòng yú lú gǔ, lú gǔ fā shēng zhèn dòng chuán zhì nèi ěr。yóu liǎng zhǒng chuán dǎo fāng shì chuán zhì nèi ěr de zhèn dòng, yě shǐ nèi ěr lín bā yè fā shēng xiāng yìng de zhèn dòng,
骨传导就是声波作用于颅骨，颅骨发生振动传至内耳。由两种传导方式传至内耳的震动，也使内耳淋巴液发生相应的振动，

zhì shǐ tīng jué xì bāo ěr wō máo xì bāo shòu dào cì jī zhè zhǒng
致使听觉细胞（耳蜗毛细胞）受到刺激。这种
cì jī yán shén jīng xiān wéi chuán rù dà nǎo zhōng de tīng jué zhōng shū rén jiù
刺激沿神经纤维传入大脑中的听觉中枢，人就
huì gǎn zhī dào shēng yīn le
会感知到声音了。

想想真有趣

ěr shì rén de tīng jué qì guān fēn wèi chuán yīn hé gǎn yīn liǎng bù fen wài ěr hé
耳是人的听觉器官，分为传音和感音两部分。外耳和
zhōng ěr shì shēng yīn de chuán dǎo qì guān ér nèi ěr zé shì shēng yīn de gǎn shòu zhuāng zhì shēng
中耳是声音的传导器官，而内耳则是声音的感受装置。声
yīn chuán rù nèi ěr yǒu liǎng tiáo lù jìng kōng qì chuán dǎo hé gǔ chuán dǎo
音传入内耳有两条路径：空气传导和骨传导。

动动小脑筋

wèn wèi shén me bù néng jīng cháng wā ěr duo
问：为什么不能经常挖耳朵？

dá yǒu xiē rén jué de ěr shǐ huì fáng ài tīng jué jiù yòng zāng zhǐ jiǎ qù wā
答：有些人觉得耳屎会妨碍听觉，就用脏指甲去挖，
zhè shì hěn bù hǎo de zhǐ jiǎ bù jǐn huì sǔn shāng ěr dào nèi pí fū ér qiě hái huì jiāng
这是很不好的。指甲不仅会损伤耳道内皮肤，而且还会将
xǔ duō xì jūn dài rù ěr dào zào chéng gǎn rǎn fā yán sǔn huài le ěr mó hé ěr dào
许多细菌带入耳道，造成感染发炎。损坏了耳膜和耳道，
jiù huì sǔn hài tīng lì
就会损害听力。

舌头为什么能辨别味道？

人的舌头是感受味觉的重要器官。人舌能分辨酸、甜、苦、辣，应当归功于味蕾。味蕾是接受味道刺激的感受器。味蕾由味觉细胞组成，每个味觉细胞都有毛状突起称为味毛，是味觉感受的关键部位。食物进入口腔，

通过咀嚼后，食物的味道就会溶解在唾液中，刺激了味觉细胞，引起神经冲动，通过神经传入大脑皮层的味觉区，于是就有了味觉。

说说哪个对

舌尖和舌侧面来感受酸、甜、咸、苦。

舌根也可以感受到各种味道。

正确答案：在舌的不同部位上，味觉的感受程度是不相同的。舌尖对甜味敏感，舌根对苦味敏感，舌尖及两侧对咸味敏感，两侧对酸味敏感。食物一进入口中，不同的味蕾便各行其职，迅速传达各种味道的信息。

想想真有趣

味蕾主要分布在舌的前三分之二处，特别是舌尖和舌的两侧，少数还存在于软腭和咽部。成年人大约有一万个味蕾，儿童就更多了。

人为什么要呼吸？

jī tǐ zài xīn chén dài xiè zhōng xū yào bú duàn de cóng wài jiè qǔ dé
机体在新陈代谢中，需要不断地从外界取得
yǎng hé pái chū èr yǎng huà tàn zhè shì yīn wèi jī tǐ suǒ xū yào de
氧和排出二氧化碳。这是因为机体所需要的
néng liàng zhǔ yào lái yuán yú shí wù zhōng de táng lèi zhī fáng
能量主要来源于食物中的糖类、脂肪
hé dàn bái zhì táng lèi
和蛋白质。糖类
de fēn jiě zài gōng yǎng
的分解在供氧
chōng fēn shí shì fàng
充分时释放
néng liàng duō shēng
能量多，生
chéng de yǒu hài
成的有害
wù zhì shǎo
物质少。

zhī fáng hé dàn bái zhì de yǎng huà fēn jiě yě lí bù kāi yǎng èr yǎng huà
脂肪和蛋白质的氧化分解也离不开氧。二氧化
tàn rú guǒ bù tōng guò hū xī jí shí pái chū tǐ wài yě huì shǐ rén fā
碳如果不通过呼吸及时排出体外，也会使人发
shēngsuānzhòng dú suānzhòng dú hěn wēi xiǎn kě zhì rén yú sǐ dì
生酸中毒。酸中毒很危险，可致人于死地。

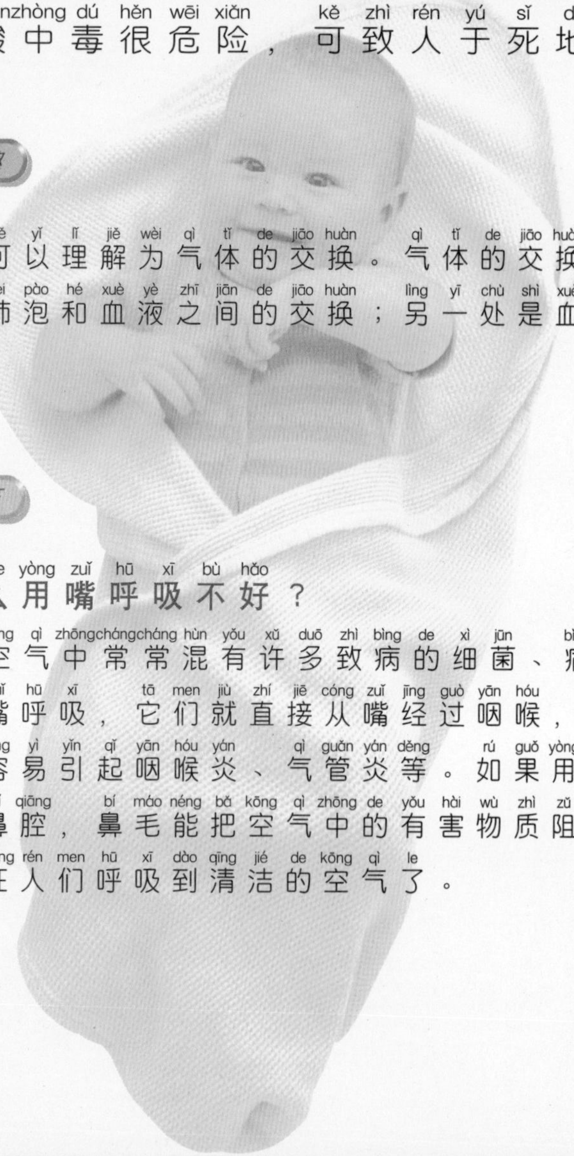

想想真有趣

hū xī de shí zhì kě yǐ lǐ jiě wèi qì tǐ de jiāo huàn qì tǐ de jiāo huàn bù wèi
呼吸的实质可以理解为气体的交换。气体的交换部位
yǒu liǎng chù yī chù shì fèi pào hé xuè yè zhī jiān de jiāo huàn lìng yī chù shì xuè yè hé
有两处：一处是肺泡和血液之间的交换；另一处是血液和
xì bāo zhī jiān de jiāo huàn
细胞之间的交换。

动动小脑筋

wèn wèi shén me yòng zuǐ hū xī bù hǎo
问：为什么用嘴呼吸不好？

dá yīn wei zài kōng qì zhōngchángcháng hùn yǒu xǔ duō zhì bìng de xì jūn bìng dú
答：因为在空气中常常混有许多致病的细菌、病毒、
huī chén děng rú guǒ yòng zuǐ hū xī tā men jiù zhí jiē cóng zuǐ jīng guò yān hóu jìn rù
灰尘等，如果用嘴呼吸，它们就直接从嘴经过咽喉，进入
dào fèi bù zhè yàng hěn róng yì yǐn qǐ yān hóu yán qì guǎn yán děng rú guǒ yòng bí zi
到肺部，这样很容易引起咽喉炎、气管炎等。如果用鼻子
hū xī kōng qì jīng guò bí qiāng bí máo néng bǎ kōng qì zhōng de yǒu hài wù zhì zǔ dǎng zài
呼吸，空气经过鼻腔，鼻毛能把空气中的有害物质阻挡在
wài zhè yàng jiù néng bǎo zhèng rén men hū xī dào qīng jié de kōng qì le
外，这样就能保证人们呼吸到清洁的空气了。

汗为什么是咸的？

汗流满面时，汗液流进嘴里，就感觉到了汗的咸味。被汗液浸湿过的深色衣服上，也会看到一圈圈白印。难道汗里有盐吗？

原来，汗液中除含有大量的水分外，还有许多固体成分，如钠、氯、钾、钙等，其中又以钠和氯的含量最多。它们溶解在水分中，钠和氯结合就成了氯

化钠，也就是食盐了。所以，当人大量出汗时，除补充水外，还应该注意补充含钠、氯、钾等成分的盐类，更有利于健康。

动动小脑筋

问：汗水是从哪儿来的？

答：汗水是从皮肤里的汗腺内流出来的。汗腺就是专门管分泌汗水的。出汗不但能排出身体代谢的废物，还能帮助身体向外散发多余的热量。

说说哪个对

夏天，天气炎热。出汗后用冷水冲凉最舒服了。

不对，用冷水冲凉会生病的。

正确答案：皮肤突然受到冷的刺激，毛细血管收缩，汗孔闭塞，汗排不出，人会感到不舒服。同时，人突然受到寒冷刺激时，抵抗力会降低。隐藏在身体的细菌就会乘机活动，使人生病。

人的血液为什么是红色的？

rén de xuè yè chéng fèn kě fēn wéi
人的血液成分可分为
xì bāo bù fen hé fēi xì bāo bù
细胞部分和非细胞部
fen xì bāo bù fen yǒu hóng xì
分。细胞部分有红细
bāo bái xì bāo hé xuè xiǎo
胞、白细胞和血小
bǎn fēi xì bāo bù fen shì
板；非细胞部分是
xuè jiāng xuè yè de hóng sè shì
血浆。血液的红色是
yóu hóng xì bāo zào chéng de hóng
由红细胞造成的。红
xì bāo nèi chōng mǎn le xuè hóng dàn
细胞内充满了血红蛋
bái xuè hóng dàn bái shì yóu zhū dàn
白，血红蛋白是由珠蛋
bái hé xuè hóng sù zǔ zhuāng chéng de
白和血红素组装成的，
ér xuè hóng sù shì yì zhǒng hán yǒu sè
而血红素是一种含有色
sù de wù zhì rén de xuè yè zhōng
素的物质。人的血液中

红细胞的数量非常大，所以当这些含有大量血红素的红细胞悬浮在血浆中时，就使血液成为红色的了。

动动小脑筋

问：为什么说血液是人体的“警卫员”？

答：某些白细胞能吞食入侵的病菌，淋巴细胞参与人体免疫功能，当人体受伤出血时，靠血小板的止血、凝血作用堵住伤口。所有这些都说明了血液对于人体具有防御保护作用。

想想真有趣

血液在调节体温过程中，也起着重要作用，一方面能大量吸收体内产生的热量，另一方面能将体内深部器官产生的热运输到体表，进行散发。

人体里的血管有多长？

rén tǐ nèi de xuè guǎn yǒu dòng mài
人体内的血管有动脉、
jìng mài hé máo xì xuè guǎn tā men
静脉和毛细血管。它们
hé xīn zàng yì qǐ zǔ chéng le rén
和心脏一起组成了人
tǐ shū sòng xuè yè de mì bì shì
体输送血液的密闭式
guǎn dào rén tǐ de xuè guǎn fēn
管道。人体的血管分
bù fēi cháng fēng fù chú le
布非常丰富，除了
yǎn jing de jiǎo mó jīng tǐ
眼睛的角膜、晶体
hé bō li tǐ méi yǒu xuè
和玻璃体没有血
guǎn wài shēn tǐ de gè
管外，身体的各
gè jiǎo luò dōu yǒu xuè
个角落都有血
guǎn yóu qí shì máo xì
管。尤其是毛细
xuè guǎn zhēn shì duō rú
血管，真是多如

牛毛。有人做过统计：把一个人的动脉、静脉和毛细血管都加起来，长度可达9.6万多千米！在这条生命的长河中，不停地流淌着人类赖以生存的血液。

想想真有趣

心脏的一次收缩及相应的一次舒张，叫做一个心动周期。以每分钟心跳75次计算，每个心动周期是0.8秒。在这0.8秒里，心房收缩占0.1秒，心房舒张占0.7秒；心室收缩占0.3秒，心室舒张占0.5秒。

动动小脑筋

问：心脏日夜不停“咚咚”地跳，它累不累？

答：不会的，当心脏收缩时，用力把血液挤压到全身，这才是真正的工作；但在舒张时却不要费力气，等于在放松休息，而且时间较长。所以看起来心脏是在不停地工作，实际上，它的大部分时间是在休息。

为什么会有不同肤色的人种？

皮肤的颜色，主要是由皮肤内黑色素的多少决定的。黑色素是一种黑色或棕色的颗粒，能阻挡阳光中对人体有害的紫外线。人类皮肤的颜色，是进化过程中适应自然的结果。在高寒的北欧，

rén men bú huì shòu dào liè rì de pù shài shēn tǐ li de hēi sè sù hěn
人们不会受到烈日的曝晒，身体里的黑色素很
shǎo jū zhù zài chì dào fù jìn de fēi zhōu rén yóu yú pí fū cháng
少；居住在赤道附近的非洲人，由于皮肤常
shòu qiáng liè rì guāng de zhào shè tǐ nèi jiù chǎn shēng dà liàng de hēi sè
受强烈日光的照射，体内就产生大量的黑色
sù suǒ yǐ fēi zhōu rén pí fū chéng hēi sè huò zōng hēi sè ér huáng
素，所以非洲人皮肤呈黑色或棕黑色；而黄
zhǒng rén yì bān jù jū zài wēn dài dì qū suǒ yǐ pí fū de yán sè
种人一般聚居在温带地区，所以皮肤的颜色
yě jiào qiǎn
也较浅。

动动小脑筋

wèn wèi shén me shuō pí fū de zài shēng néng lì zuì qiáng
问：为什么说皮肤的再生能力最强？

dá dāng pí fū pò sǔn hòu shāng kǒu chù de xì bāo huì jiā sù fēn liè tóng shí
答：当皮肤破损后，伤口处的细胞会加速分裂，同时
xì bāo jiān yǒu yì zhǒng jié dì xiān wéi zòng héng jiāo cuò de jiāng xīn chǎn shēng de xì bāo yǔ wèi
细胞间有一种结缔纤维，纵横交错地将新产生的细胞与未
shāng sǔn chù de xì bāo jié hé zài yì qǐ zhè zhǒng qū shì shì cóng sì zhōu xiàng zhōng xīn jìn xíng
伤损处的细胞结合在一起。这种趋势是从四周向中心进行
de dāng xīn xì bāo zài shāng kǒu zhōng xīn huì hé shí shāng kǒu jiù yù hé le
的。当新细胞在伤口中心会合时，伤口就愈合了。

想想真有趣

shāng kǒu zài yù hé guò chéng zhōng yóu yú shāng chù zhōng xīn xì bāo fēn liè guò shèng yǒu
伤口在愈合过程中，由于伤处中心细胞分裂过剩，有
yí bù fen xì bāo jiù huì bèi jǐ dào wài céng chéng wéi tū qǐ zhè jiù shì shāng bā le
一部分细胞就会被挤到外层，成为凸起，这就是伤疤了。

为什么东方人是黑头发，西方人是黄头发？

头发颜色不同的根本原因，在于人类的遗传和进化。由于东方人处在亚热带和热带地区，阳光充足，毛发中黑色素就多；而西方人多生活在日光稀少的寒冷地区，皮肤内产生黑色素的细

bāo zhú jiàn tuì huà jiǔ ér jiǔ zhī jiù xíng chéng dōng fāng rén shì hēi tóu
胞逐渐退化。久而久之，就形成东方人是黑头
fa xī fāng rén shì huáng tóu fa le
发，西方人是黄头发了。

想想真有趣

tóu fa zhōng hán yǒu yǒu hēi sè sù hóng hēi sè sù hé shì hēi sè sù zhè sān zhǒng
头发中含有黝黑色素、红黑色素和嗜黑色素。这三种
sè sù de yán sè bù yí yàng àn sān zhǒng sè sù zhàn bǐ lì de bù tóng suǒ zǔ chéng de
色素的颜色不一样，按三种色素占比例的不同，所组成的
yán sè yě bù tóng zǒng de lái kàn huáng zhǒng rén de tóu fa shì wū hēi fā liàng de ér
颜色也不同。总的来看，黄种人的头发是乌黑发亮的，而
bái zhǒng rén de tóu fā shì jīn huáng sè de
白种人的头发是金黄色的。

动动小脑筋

wèn bù tóng de rén zhǒng shì zěn yàng shì yìng huán jìng de
问：不同的人种是怎样适应环境的？

dá bái zhǒng rén de tóu fa shì yà má sè de lüè tòu míng kě yǐ shǐ tóu pí
答：白种人的头发是亚麻色的，略透明，可以使头皮
xī shōu gèng duō yáng guāng de rè liàng hēi zhǒng rén de fā hēi sè juǎn qū yǒu lì zǔ gé yáng
吸收更多阳光的热量。黑种人的发黑色卷曲，有利阻隔阳
guāng dài lái de rè liàng bǎo hù dà nǎo huáng zhǒng rén de fèng yǎn hé yǎn jiǎn de zhě zhòu
光带来的热量，保护大脑。黄种人的凤眼和眼睑的褶皱，
yǔ yà zhōu zhōng bù duō fēng shā yǒu guān zhè zhǒng jié gòu kě yǐ bǎo hù yǎn jing miǎn shòu fēng shā
与亚洲中部多风沙有关。这种结构可以保护眼睛免受风沙
qīn xí
侵袭。

人大脑的左半球管说话吗？

yī bǎi duō nián qián, fǎ guó yǒu wèi qí guài de bìng rén lái zhǎo bù lǎng kè dài fū. tā bù néng shuō huà, zhǐ néng yòng wén zì gào sù dài fū: tā jì bù lóng yě bù yǎ, guò qù shì néng shuō huà de, hòu lái zài yì cháng dà bìng zhōng, shī diào le yǔ yán biǎo dá néng lì. bù láng kè dài fū jiān chí wèi tā zhì liáo, zhí dào huàn zhě sǐ qù. hòu lái jīng shī tǐ jiě pōu,

一百多年前，法国有位奇怪的病人来找布朗克大夫。他不能说话，只能用文字告诉大夫：他既不聋也不哑，过去是能说话的，后来在一场大病中，失掉了语言表达能力。布郎克大夫坚持为他治疗，直到患者死去。后来经尸体解剖，

发现他的大脑左半球的某个部位发生了严重的病变。以后，又经过神经生理学家的多次实验和验证：人的语言中枢确实在大脑左半球。

说说哪个对

人的语言中枢就是管说话的。

不，语言中枢不是只管说话的。

正确答案：人的语言中枢有四个部分，分别管看字、听话、写字和说话。哪个部位发生了病变，相应的机能就会丧失。

想想真有趣

除了语言中枢健康无病外，我们之所以能说话，还因为我们有发音器官——声带。不过，我们光发出声音来也没有用，仍需用口腔和鼻腔帮助发音。嘴唇、牙齿、舌头的位置都正确才能发出正确的音来。

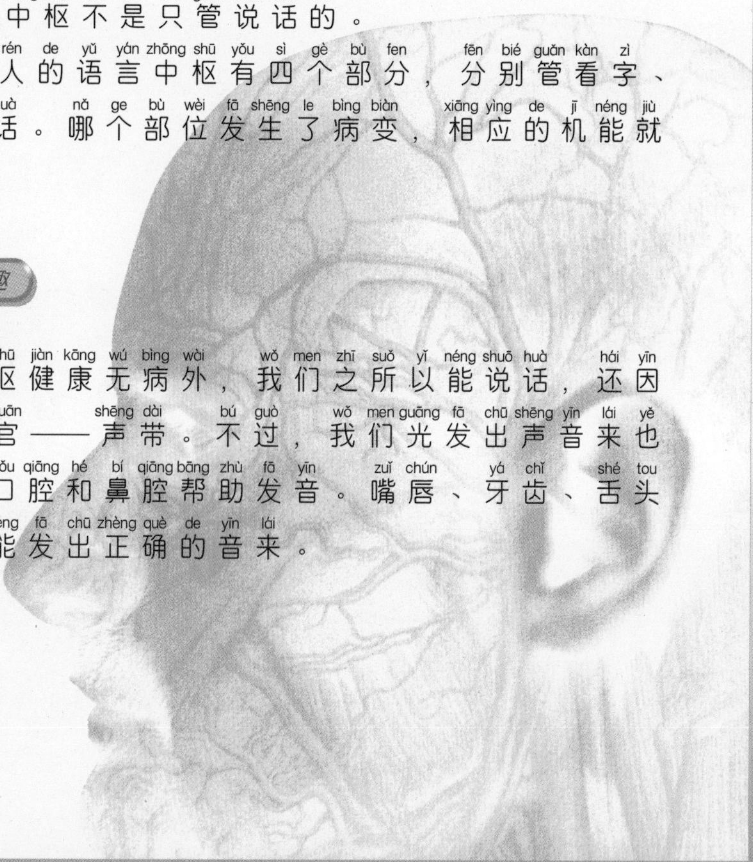

女人为什么不长胡子？

长胡子是人的第二性征，是由男子体内的性腺——睾丸引起的。睾丸具有两种重要的本领：一种产生精子，用于生育后代；二是生产睾酮。睾酮是一种雄性激素，可促使毛发生长。现代医学认为，

男子上唇和两腮部的毛囊里有一种雄激素的受体，对雄激素的作用十分敏感，这是促使胡子丛生的原因。而在女人体内，雄激素非常少，雌激素非常多，它不会促使胡子生长。

想想真有趣

常常见到男人的唇上和两腮部长着密密的胡子，可女人没有，如果男女出现了反常现象：男人不长胡子，女人长胡子，那可能就是雄激素的分泌出了问题。

说说哪个对

人身上的毛发中数量最多的是头发。

人身上的毛发中数量除了头发就是胡子最多了。

正确答案：每个人身上约有100万根毛发，分为三大类：一类是头发、胡须等长毛发；第二类是眉毛、眼睫毛等短毛发；还有一类是汗毛。人身上所有毛发中，数量最多的就是遍布全身的汗毛。

人为什么能维持恒定的体温？

有许多动物的体温会随环境温度的变化而改变，人的体温却保持着相对的稳定。当环境的温度高时，皮肤上的感受器通过神经通知大脑的恒温中枢，大脑就会“命令”皮肤表面血管扩张，促使机体出汗散热；如果天气寒冷，它又会让皮肤

血管收缩，减少散热。同时，发生寒颤增加产热，也可提高内脏的代谢率以增加产热量，从而维持体温的相对恒定。

想想真有趣

当我们在剧烈运动和生病发烧时，应多喝开水。因为发烧时，水分消耗多，需要多喝开水来补充。另外，多喝水可以把细菌或病毒产生的毒素冲淡，由小便排出。水还有调节体温的功能。

说说哪个对

发烧对人体是有害的。

生病时发烧对人体有保护作用。

正确答案：当病菌侵入人体后，身体组织受到破坏，会产生一些刺激物，经血液传到“下视丘”，命令身体产生热，加速新陈代谢以对抗病原体。还会产生比平时高得多的白血球和抗体来跟病菌作斗争，消灭病菌。

检查指纹为什么可以帮助破案？

zhǐ wén cháng cháng bèi yòng zuò zhēn pò àn jiàn de yī jù zhè shì wèi shén
指纹常常被用作侦破案件的依据。这是为什
me ne yuán lái rén tǐ de pí fū yǒu biǎo pí céng hé zhēn pí céng
么呢？原来，人体的皮肤有表皮层和真皮层。
shǒu zhǐ zhǎng cè miàn zhēn pí céng xiān wéi pái liè chéng xì shù xíng chéng xì
手指掌侧面真皮层纤维排列成细束，形成细
wǎng bìng qiě yǒu xǔ duō
网，并且有许多
rǔ tou tū qǐ
乳头突起
hé yóu zhè xiē
和由这些
tū qǐ xíng
突起形
chéng de xǔ
成的许
duō zhěng qí
多整齐
de rǔ tou
的乳头
xiàn zài
线，在
rǔ tou xiàn
乳头线

zhī jiān yǒu xǔ duō āo xiàn de xiǎo gōu biǎo pí céng biàn chéng xiàn xiāng yìng de
之间有许多凹陷的小沟，表皮层便呈现相应的
āo tū huā wén zhè jiù xíng chéng le zhǐ wén měi gè rén dōu yǒu zì jǐ
凹凸花纹，这就形成了指纹。每个人都有自己
tè dìng de zhǐ wén jiù shì shuāng bāo tāi zhī jiān yě yǒu chà yì zhè jiù
特定的指纹，就是双胞胎之间也有差异，这就
shì zhǐ wén kě yǐ yòng lái bāng zhù pò àn de dào li
是指纹可以用来帮助破案的道理。

说说哪个对

dāng rén de shǒu zhǐ shang zhǎng chū xīn pí fū hòu jiù huì chū xiàn xīn zhǐ wén
当人的手指上长出新皮肤后，就会出现新指纹。

bú duì rén de pí fū wú lùn zěn yàng gǎi biàn zhǐ wén bú huì biàn
不对，人的皮肤无论怎样改变，指纹不会变。

zhèng què dá àn rén de zhǐ wén zhōng shēng bú huì gǎi biàn jí shǐ pí fū chū xiàn mó
正确答案：人的指纹终生不会改变，即使皮肤出现磨
sǔn tuì pí shèn zhì tàng shāng zhǎng chū de xīn pí fū shang réng rán hái yǒu zhe hé yuán lái yì
损、蜕皮甚至烫伤，长出的新皮肤上仍然还有着和原来一
mú yí yàng de zhǐ wén tú àn
模一样的指纹图案。

动动小脑筋

wèn rén de zhǐ wén wèi shén me bù yí yàng
问：人的指纹为什么不一样？

dá jù kē xué jiā fēn xī měi gè rén de zhǐ wén zài mǔ qīn dù zi li jiù yǐ
答：据科学家分析，每个人的指纹在母亲肚子里就已
jīng xíng chéng le yóu yú měi gè tāi ér de yí chuán jī yīn bù yí yàng suǒ yǐ gè rén de
经形成了。由于每个胎儿的遗传基因不一样，所以各人的
zhǐ wén yě bú huì xiāng tóng
指纹也不会相同。

人为什么害羞时会脸红？

yǒu de rén yù dào mò shēng
有的人遇到陌生
rén jiù hài xiū， hài xiū
人就害羞，害羞
shí， jīng cháng huì liǎn hóng。
时，经常会脸红。
zhè shì wèi shén me ne？
这是为什么呢？
zhè shì yīn wei： dāng rén
这是因为：当人
hài xiū huò yù dào mò
害羞或遇到陌
shēng rén shí， jīng shén
生人时，精神
jiù huì jǐn zhāng， jīng
就会紧张，精
shén yì jǐn zhāng jiù huì
神一紧张就会
yǐn qǐ zhī pèi xīn zàng
引起支配心脏
hé xuè guǎn de shén jīng
和血管的神经
xīng fèn。 zhè yàng， xīn
兴奋。这样，心

tiào jiù huì jiā kuài liǎn shang de máo xì xuè guǎn yě huì kuò zhāng jiā shàng
跳就会加快，脸上的毛细血管也会扩张，加上
liǎn bù de máo xì xuè guǎn wǎng tè bié fēng fù liú dào liǎn bù de xuè yè
脸部的毛细血管网特别丰富，流到脸部的血液
zēng duō le liǎn jiù huì biàn de hóng hóng de
增多了，脸就会变得红红的。

动动小脑筋

wèn rén de liǎn wèi shén me shòu dòng shí huì fā hóng
问：人的脸为什么受冻时会发红？

dá wǒ men de liǎn lòu zài wài miàn dōng tiān shí róng yì gǎn dào hán lěng dāng
答：我们的脸露在外面，冬天时，容易感到寒冷。当
zhè xiē bù wèi de pí fū shòu dào lěng de cì jī máo xì xuè guǎn jiù huì xiān shōu suō hòu
这些部位的皮肤受到冷的刺激，毛细血管就会先收缩、后
kuò zhāng dāng xuè guǎn kuò zhāng shí pí fū de xuè yè liàng duō le kàn qǐ lái jiù hóng tóng
扩张。当血管扩张时，皮肤的血液量多了，看起来就红彤
tong de
彤的。

想想真有趣

rén de quán shēn shàng xià dōu yǒu pí fū dàn quán shēn pí fū yǒu báo yǒu hòu yǎn jing
人的全身上下都有皮肤，但全身皮肤有薄有厚。眼睛
fù jìn de pí fū zuì báo zhǐ yǒu háo mǐ shǒu zhǎng hé jiǎo dǐ de pí fū zuì hòu
附近的皮肤最薄，只有0.5毫米，手掌和脚底的皮肤最厚，
dà yuē yǒu háo mǐ
大约有4毫米。

无偿献血为什么不会影响健康？

输血可以挽救人的生命，而对健康人来说，间隔一定时间适量献血，绝不会损害身体健康的。因为血细胞总在不断地进行新陈代谢。红细胞只能活120天，白细胞可活14天，血小板只能活7～8天，新细胞不

duàn shēng chéng, lǎo xì bāo bú duàn sǐ wáng。 rén xiàn xuè hòu, xuè xì
断生成，老细胞不断死亡。人献血后，血细
bāo zài yí gè yuè nèi jiù huì quán bù huī fù。suǒ yǐ wǒ men měi yí gè
胞在一个月内就会全部恢复。所以我们每一个
shì líng de jiàn kāng rén yīng gāi jī jí cān jiā wú cháng xiàn xuè。
适龄的健康人应该积极参加无偿献血。

说说哪个对

shì liàng xiàn xuè bú huì yǐng xiǎng jiàn kāng。
适量献血不会影响健康。

xiàn xuè huì yǐng xiǎng nǐ de jiàn kāng。
献血会影响你的健康。

zhèng què dá àn： yí gè chéng nián rén， shēn tǐ li dà yuē yǒu 4800 háo shēng xuè yè，
正确答案：一个成年人，身体里大约有4800毫升血液，
píng shí yǒu 80% zài xīn zàng hé xuè guǎn zhōng liú dòng， qí yú de zhù cún zài gān、 pí děng
平时有80%在心脏和血管中流动，其余的贮存在肝、脾等
“xuè kù” li， yǐ bèi jí yòng， yí dàn shī xuè huò tǐ lì huó dòng zēng jiā，“xuè
“血库”里，以备急用，一旦失血或体力活动增加，“血
kù” de xuè jiù chū lái cān jiā quán shēn de xuè yè xún huán。
库”的血就出来参加全身的血液循环。

想想真有趣

rén tǐ xuè yè zhōng de hóng xì bāo shì zhuān mén fù zé yùn sòng qì tǐ de， bǎ xī jìn
人体血液中的红细胞是专门负责运送气体的，把吸进
lái de xīn xiān yǎng qì sòng dào shēn tǐ gè chù， zài bǎ èr yǎng huà tàn fèi qì dài huí fèi
来的新鲜氧气送到身体各处，再把二氧化碳废气带回肺
bù， pái chū tǐ wài。
部，排出体外。

体味和人有什么关系？

tǐ wèi jiù shì rén de shēn tǐ xiàng wài sàn fā chū de qì wèi zhè xiē
体味就是人的身体向外散发出的气味。这些

qì wèi zhǔ yào shì yóu pí fū xiàn tǐ de fēn mì wù huī fā chǎn shēng de
气味主要是由皮肤腺体的分泌物挥发产生的。

nán nǚ de tǐ wèi míng xiǎn bù tóng zhè shì yīn wèi nán nǚ nèi fēn mì děng shēng lǐ huó dòng de bù tóng
男女的体味明显不同，这是因为男女内分泌等生理活动的不同

yǐn qǐ de qīng chūn qī nán nǚ tǐ wèi yě yǒu míng xiǎn de chà yì hēi
引起的。青春期男女体味也有明显的差异。黑
rén xiàn tǐ fēng fù tǐ wèi zuì nóng qí cì shì bái rén huáng zhǒng
人腺体丰富，体味最浓；其次是白人；黄种
rén de tǐ wèi xiāng duì zuì ruò
人的体味相对最弱。

动动小脑筋

wèn jí bìng huì shǐ rén chǎn shēng tè shū de tǐ wèi ma
问：疾病会使人产生特殊的体味吗？

dá shì de yǒu xiē bìng shì huì shǐ rén chǎn shēng tè shū de tǐ wèi de lì rú
答：是的，有些病是会使人产生特殊的体味的。例如：
táng niào bìng rén huì yǒu làn píng guǒ wèi ér niào dú zhèng bìng rén hū chū de qì dài yǒu ān wèi
糖尿病人会有烂苹果味，而尿毒症病人呼出的气带有氨味。

想想真有趣

rú guǒ yí gè rén de xiù jué méi chū xiàn wèn tí nà me tā de bí zi jiù néng líng
如果一个人的嗅觉没出现问题，那么他的鼻子就能灵
mǐn de biàn bié xǔ xǔ duō duō zhǒng qì wèi xī yān néng dà dà yǐng xiǎng xiù jué yīn wèi bí
敏地辨别许许多多种气味。吸烟能大大影响嗅觉，因为鼻
qiāng cháng shí jiān shòu yān wù de cì jī xiù jué xì bāo jiù biàn de bú nà me líng mǐn le
腔长时间受烟雾的刺激，嗅觉细胞就变得不那么灵敏了。
zài rén de yì shēng zhōng suì de shǎo nián shì xiù jué zuì líng mǐn de shí qī yǐ hòu
在人的一生中，10～15岁的少年是嗅觉最灵敏的时期，以后
suí zhe nián líng zēng dà xiù jué yě jiàn jiàn biàn chà le
随着年龄增大，嗅觉也渐渐变差了。

胃能消化肉类食物，为什么不能消化胃自己？

科学家们发现，胃能分泌一种粘稠的、胶冻状的黏液物质，覆盖在胃的内表面，防止胃酸和胃蛋白酶的腐蚀。此外，胃内表面黏膜的上皮细胞，是一层紧密排列的特殊结构，

从而形成了一道生理屏障，这种屏障可以阻止胃酸侵入。只要黏液和胃黏膜生理屏障这两道“防线”健全，就能抵御胃自身的分解。

说说哪个对

吃饭前多喝点水可以帮助消化。

应该在饭后半小时再喝水。

正确答案：人在饭前喝水，就会冲淡胃酸，胃的酸性降低后，消化酶就不能很好地发挥作用，食物也不能够被充分消化，影响身体对营养元素的吸收。久而久之，人就会营养不良。

想想真有趣

胃液是一种酸性液体，其中含有盐酸，其PH值约为0.9～1.5，是强酸性溶液。胃壁还能制造出有利消化蛋白质和脂肪的酶，这些酶在酸性的环境中，能够顺利地消化食物。

为什么有的人分辨不出颜色？

rén yǎn qiú de shì wǎng mó shang yǒu xǔ duō shì jué xì bāo qí zhōng de
人眼球的视网膜上有许多视觉细胞。其中的
shì zhuī xì bāo yǒu sān zhǒng tā men fēn bié hán yǒu
视锥细胞有三种，它们分别含有
hóng mǐn sè sù lǜ mǐn sè sù hé lán mǐn sè
红敏色素、绿敏色素和蓝敏色
sù yóu yú bù tóng yán sè de
素。由于不同颜色的
guāng bō cháng bù tóng
光波长不同，
shì wǎng mó shang de sān
视网膜上的三
zhǒng xì bāo duì bù
种细胞对不
tóng yán sè guāng fā
同颜色光发
shēng de fǎn yìng
生的反应
yě bù tóng
也不同。
tā men tōng
它们通
guò shén jīng
过神经

传给大脑，经大脑分析，才能辨别出各种颜色。如果人眼里的视锥细胞缺少了某种感光色素，这人就会患“色盲”。

说说哪个对

有人说：“左眼跳灾，右眼跳财。”

这种说法一点根据都没有，不能相信。

正确答案：眼皮跳，是由于眼睛周围肌肉受到刺激造成的。这块肌肉叫眼轮匝肌。由于缺少睡眠、看电视时间过长、躺着看书等造成眼睛过度疲劳时，就容易引起眼皮跳。远视、近视、散光、结膜炎等眼病患者的眼皮也会跳。此外，强光或某些药物的刺激也会引起眼皮跳。

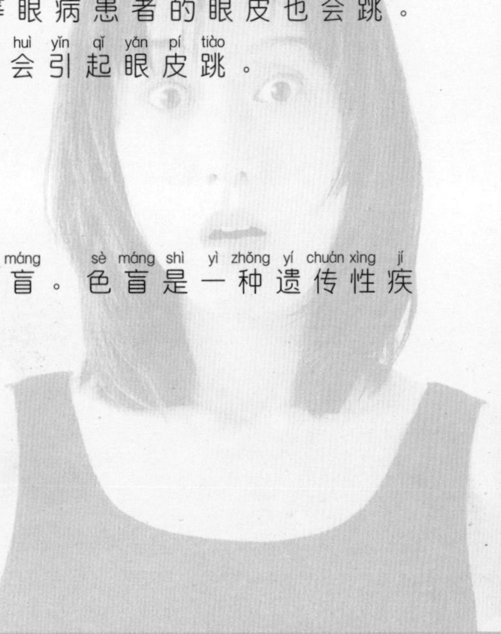

想想真有趣

人群中比较多见的是红绿色盲。色盲是一种遗传性疾病，并且男性患者远高于女性。

为什么牙痛也是病？

yǐn qǐ yá tòng de yuán yīn hěn duō bèi shì jiè wèi shēng zǔ zhī liè wéi
引起牙痛的原因很多，被世界卫生组织列为
dì sān dà jí bìng de qǔ chǐ zhǔ yào zhèng zhuàng jiù shì yá tòng qǔ
第三大疾病的龋齿，主要症状就是牙痛。龋
chǐ huì zào chéng yá suǐ yán gēn jiān zhōu yán yán zhòng de shèn zhì fā shēng
齿会造成牙髓炎、根尖周炎，严重的甚至发生
chǐ cáo nóng zhǒng
齿槽脓肿
hé miàn bù fēng
和面部蜂
wō zǔ zhī yán
窝组织炎。
yá chǐ jí bìng kě
牙齿疾病可
néng shì yì zhǒng
能是一种
bìng zào
病灶，

还会引起全身性的疾病，如肾炎、心内膜炎、风湿热等。由此看来，牙痛决不是小毛病，千万不能掉以轻心。出现了牙痛，一定要及早到医院诊治。

说说哪个对

民间流行着“牙痛不是病”的说法。

不对，牙痛也是病。

正确答案：除牙齿本身病变引起牙痛外，三叉神经痛、急性颌窦炎、颌骨肿瘤等也常使人感到牙痛。更为严重的是，牙齿疾患还会引起全身性疾病。你可别认为牙痛不是病呀！

想想真有趣

长在前面正中的牙叫门牙，又扁又平，好像一把铲子，专门负责把食物咬断。在门牙两边有几颗尖牙叫犬牙，它好像又短又尖的小刀，当你吃肉时，用它来撕裂食物。在口腔后面两排牙叫臼齿，它好像一副副小磨子的上下两片，最适合磨碎和嚼烂食物。

为什么有人睡着了爱磨牙？

yǒu rén shuì zhé le ài mó yá
有人睡着了爱磨牙。
yī shēng chēng zhè zhǒng xiàn xiàng wéi yè
医生称这种现象为“夜
mó yá zhèng yè mó yá
磨牙症”。夜磨牙
zhèng shì yì zhǒng wú
症是一种无
jǔ jué mù dì de
咀嚼目的的
yá kōng yǎo mó
牙空咬磨
yùn dòng duō fā
运动，多发
shēng yú ér tóng
生于儿童
hé shǎo nián yè
和少年。夜
mó yá zhǔ yào
磨牙主要
shì yóu yú qíng xù
是由于情绪
bù wěn dìng jī ròu
不稳定，肌肉

经常处于紧张状态，或患有牙周炎，炎症刺激使颌面肌肉功能紊乱；其次，肠道有寄生虫，尤其是蛔虫。蛔虫毒素可刺激和扰乱肌肉与神经的活动，诱发“夜磨牙”。

想想真有趣

俗话说：小洞不补，大洞吃苦。蛀牙刚开始时，只不过在牙齿的表面出现了一个小黑点，经过一段时间，这个小黑点会变成小洞，然后扩大成为大洞，直到整个牙齿被破坏。蛀牙常常伴有难忍的疼痛，甚至会引起牙齿的周围化脓肿胀。

动动小脑筋

问：为什么说磨牙对牙齿健康十分不利？

答：磨牙是有害的。磨牙次数太多、时间太长，就会损伤和磨耗牙组织，造成牙齿缺损。如果有夜磨牙的现象，就要请医生诊治，注意保护我们的牙齿。

为什么说牙齿是人类的“身份证”？

牙齿是人体中最坚硬的器官。由于它对物理、化学刺激的耐受性很强，变化极为缓慢，所以它能协助法医判断出一个人的种族、年龄、性别、血型、职业、籍贯等；也可根据牙齿的大小、形状、排列情

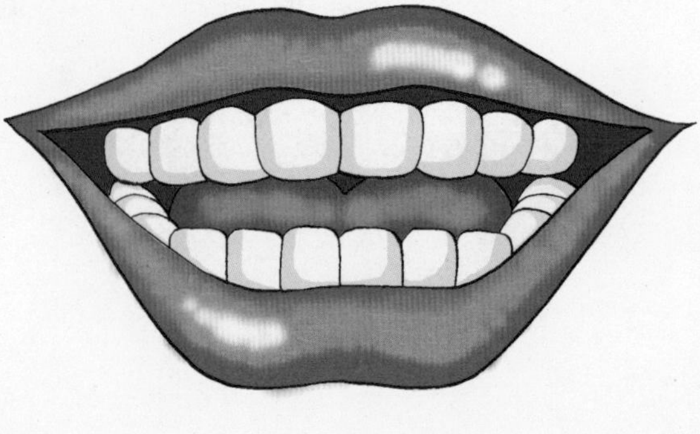

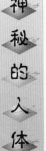

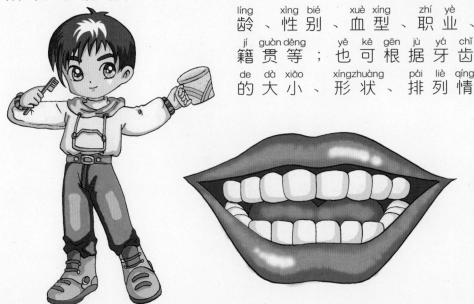

况或补牙、镶牙时的不同特点，找到其治牙的医生以及详细病历，从中找到证明一个人身份的依据。

想想真有趣

牙齿的里面和外面不一样。最外面的一层叫珐琅质，又光又亮，特别坚硬，甚至比钢铁还硬得多。但牙齿里面却不一样，藏着很多血管和神经。所以，当发生“蛀牙”时，里面的神经暴露出来，就会感到很痛。

说说哪个对

蛀牙是因为牙齿里生蛀虫了。

我想是细菌搞的鬼。

正确答案：如果经常不刷牙，特别是吃了酸甜的东西后，藏在牙缝里的细菌和食物残渣，就会产生出一种酸酸的物质，把牙齿“蛀”出一个小洞。

人类生育男女的比例为什么差不多？

从地球上产生人类以来，不管大自然发生多大的变化，男女性别间的比例始终是比较接近的。从理论上讲，人类生男生女各有50%的机遇，但在人的不同年龄段，男女性别比例有差别。婴儿初生时，男女性别比是106：100，以后

各年龄段有所不同。到了20～40岁，男女性别比例正好是100∶100，从而保证了男婚女嫁，繁衍后代的需要；40岁以后，女多男少；到了80岁以上，这个比例就下降为62∶100了。

想想真有趣

男性能产生两种精子：X精子和Y精子；而女性只能产生一种X卵子。如果X精子和X卵子结合，形成XX受精卵，生下来就是女孩。如果Y精子和X卵子结合，形成XY受精卵，生下的便是男孩。

说说哪个对

生男生女是由父亲决定的。

生男生女当然是妈妈决定的。

正确答案：至今，人们对生男生女无法控制。因为男性产生的X精子和Y精子的数目总是相等的，它们和X卵子结合的可能性也是一样多。但Y精子只有男性有，所以说，生男生女是由父亲决定的。

身体没有病就是健康吗？

chuán tǒng de guān niàn shì shēn tǐ méi yǒu bìng jiù shì jiàn kāng xiàn dài yī
传统的观念是身体没有病就是健康。现代医
xué duì jiàn kāng yòu yǒu le gèng quán miàn gèng xīn de gài niàn jiàn kāng bù jǐn
学对健康又有了更全面更新的概念。健康不仅
jǐn zhǐ méi yǒu jí bìng hái yào qiú zài
仅指没有疾病，还要求在
shēn tǐ shang xīn lǐ shang shè
身体上、心理上、社
huì shì yìng néng lì shang
会适应能力上
dōu chù yú wán hǎo de
都处于完好的
zhuàng tài shì jiè
状态。世界
wèi shēng zǔ zhī hái
卫生组织还
xíng xiàng de liè le yí
形象地列了一
gè wǔ hǎo sān liáng
个“五好三良”
de biāo zhǔn wǔ hǎo
的标准。“五好”
shì wèi kǒu hǎo liǎng biàn
是胃口好、两便

hǎo shuì mián hǎo kǒu cái hǎo tuǐ jiǎo hǎo sān liáng shì liáng
好、睡眠好、口才好、腿脚好。“三良”是良
hǎo de gè xìng liáng hǎo de chù shì néng lì liáng hǎo de rén jì guān
好的个性、良好的处世能力、良好的人际关
xì jù bèi le zhè xiē cái shì zhēnzhèng jiàn kāng de rén
系。具备了这些才是真正健康的人。

动动小脑筋

wèn zěn yàng péi yǎng jiàn kāng de shēng huó fāng shì
问：怎样培养健康的生活方式？

dá wǒ men de shēn tǐ xū yào duō zhǒng yǎng fèn suǒ yǐ wǒ men yīng duō chī shū
答：我们的身体需要多种养分，所以，我们应多吃蔬
cài hé shuǐ guǒ shǎo chī hán zhī fáng liàng gāo de shí wù jī jí cān jiā tǐ yù duàn liàn
菜和水果，少吃含脂肪量高的食物。积极参加体育锻炼，
jīng cháng yùn dòng shēn tǐ jiù huì líng huó kàng bìng néng lì zēng qiáng rú guǒ quē fá tǐ yù
经常运动，身体就会灵活，抗病能力增强。如果缺乏体育
duàn liàn jiù huì dǎo zhì féi pàng shēn tǐ xū ruò jiù róng yì shēng bìng
锻炼，就会导致肥胖、身体虚弱，就容易生病。

想想真有趣

yào yǎng chéng liáng hǎo de shēng huó xí guàn jiù yīng gāi zǎo shuì zǎo qǐ àn shí chī fàn
要养成良好的生活习惯，就应该早睡早起，按时吃饭，
bù tiāo shí shǎo chī líng shí xíng chéng kē xué de shēng huó jié lǜ tóng shí yě yīng bǎo
不挑食，少吃零食，形成科学的生活节律。同时，也应保
chí qīng sōng yú kuài de xīn qíng jīng guò rén zì shēn de nǔ lì rén shì néng zuò dào yì shēng
持轻松愉快的心情。经过人自身的努力，人是能做到一生
jī běn jiàn kāng de
基本健康的。

人类为什么不能活到自然寿命？

rén de zì rán shòu mìng yīng gāi néng huó suì zuǒ yòu kě shì wèi shén
人的自然寿命应该能活150岁左右。可是为什
me huó bú dào ne yuán yīn shì fù zá de duō fāng miàn de ér qiě
么活不到呢？原因是复杂的、多方面的，而且
hái yǔ rén dú yǒu
还与人独有
de shēng lǐ tè diǎn
的生理特点
yǒu guān bǐ rú
有关。比如
shuō rén lèi zhí
说，人类直
lì xíng zǒu jiā zhòng
立行走，加重
le jǐ zhù de fù
了脊柱的负
dān tóu bù dà nǎo de
担，头部大脑的
gāo wèi yùn dòng róng yì yǐn
高位运动，容易引
qǐ quē xuè quē yǎng dǎo
起缺血、缺氧，导
zhì nǎo hé xīn xuè guǎn
致脑和心血管

bìng lìng wài rén de xiōng shì hū xī xiàn zhì le fèi huó liàng jiā shàng
病。另外，人的胸式呼吸限制了肺活量。加上
rì yì shū shì de shēng huó huán jìng jīng ér yòu jīng de yǐn shí shǐ de
日益舒适的生活环境，精而又精的饮食，使得
rén lèi xuè yè xún huán gōng néng dà dà jiàng dī tūn shí néng lì xiāo huà
人类血液循环功能大大降低，吞食能力、消化
gōng néng yuè lái yuè chà
功能越来越差。

动动小脑筋

wèn rén de zì rán shòu mìng shì zěn me suàn chū lái de
问：人的自然寿命是怎么算出来的？

dá dòng wù xué jiā fā xiàn jiàn kāng dòng wù de zì rán shòu mìng yì bān shì fā yù
答：动物学家发现，健康动物的自然寿命一般是发育
qī de bèi rén dào le suì zuǒ yòu shēn tǐ zhōng de dà bù fen qì guān dōu yǐ
期的7倍。人到了20～25岁左右，身体中的大部分器官都已
fā yù chéng shú rú cǐ tuī suàn rén de zì rán shòu mìng yīng gāi shì suì zuǒ yòu
发育成熟。如此推算，人的自然寿命应该是150岁左右。

说说哪个对

měi gè rén dōu huì biàn lǎo de
每个人都会变老的。

chī le chángshēng bù lǎo yào de rén jiù huì yǒng yuǎn bù lǎo
吃了长生不老药的人就会永远不老。

zhèng què dá àn měi gè rén dōu cóng hái tóng yì tiān tiān chéngcháng rán hòu màn màn shuāi
正确答案：每个人都从孩童一天天成长，然后慢慢衰
lǎo shuāi lǎo shì rén shēng lù shang de bì jīng jiē duàn shì yì zhǒng zì rán xiàn xiàng rèn hé
老。衰老是人生路上的必经阶段，是一种自然现象。任何
chángshēng bù lǎo yào dōu shì wú fǎ zǔ dǎng zhè zhǒng zì rán guī lǜ de
“长生不老药”都是无法阻挡这种自然规律的。

人需要哪三大营养物质？

蛋白质是制造细胞和组织的基本材料。它在体内担负着信息传递，维持大脑活动，促进化学反应，抵御外来“入侵者”，并参与人体的生长和组织的修复。糖是人类能量的主要来源。人体需

要的能量有70%是糖提供的。人体细胞膜中也有糖的成分。脂肪在营养上的作用是为人体贮存和提供能量。脂肪放出的能量是糖和蛋白质的二倍。

动动小脑筋

问：人每天从哪些食物中获取三大营养物质？

答：蛋白质主要从蛋类、牛奶、大豆、畜禽的瘦肉中获取。糖从米、面中获取。脂肪主要从食用油、肥肉中获取。除此之外，人还应从蔬菜、水果及其它副食品中获取充足的维生素、各种无机盐、适量的纤维素才能保证人体的正常营养需要。

想想真有趣

良好的饮食习惯应该是：不要挑食和偏食，吃饭要定时定量，吃饭时要细嚼慢咽，吃饭时要精力集中。

图书在版编目(CIP)数据

21世纪小学生十万个为什么/石永歌等著.—广州：广州出版社,2002.1

ISBN 7-80655-348-7

I.21… II.石… III.科学知识-儿童读物 IV.Z228.1

中国版本图书馆CIP数据核字(2001)第090329号

21世纪小学生十万个为什么

广州出版社出版发行

(地址:广州市人民中路同乐路10号　邮政编码:510121)

广州丰彩彩印有限公司印刷

(地址:广州市广源西路岗头大街九号丰彩大厦　邮政编码:510400)

开本:889×1194　1/24　印张:28

2002年1月第1版　2004年1月第3次印刷

责任编辑:廖红霞　装帧设计:陈必琴

发行专线:020-34050323　020-83781097

ISBN 7-80655-348-7/G·96

定价:79.20元(全四册　本册19.80元)